Il Duomo di Modena

The Cathedral of Modena

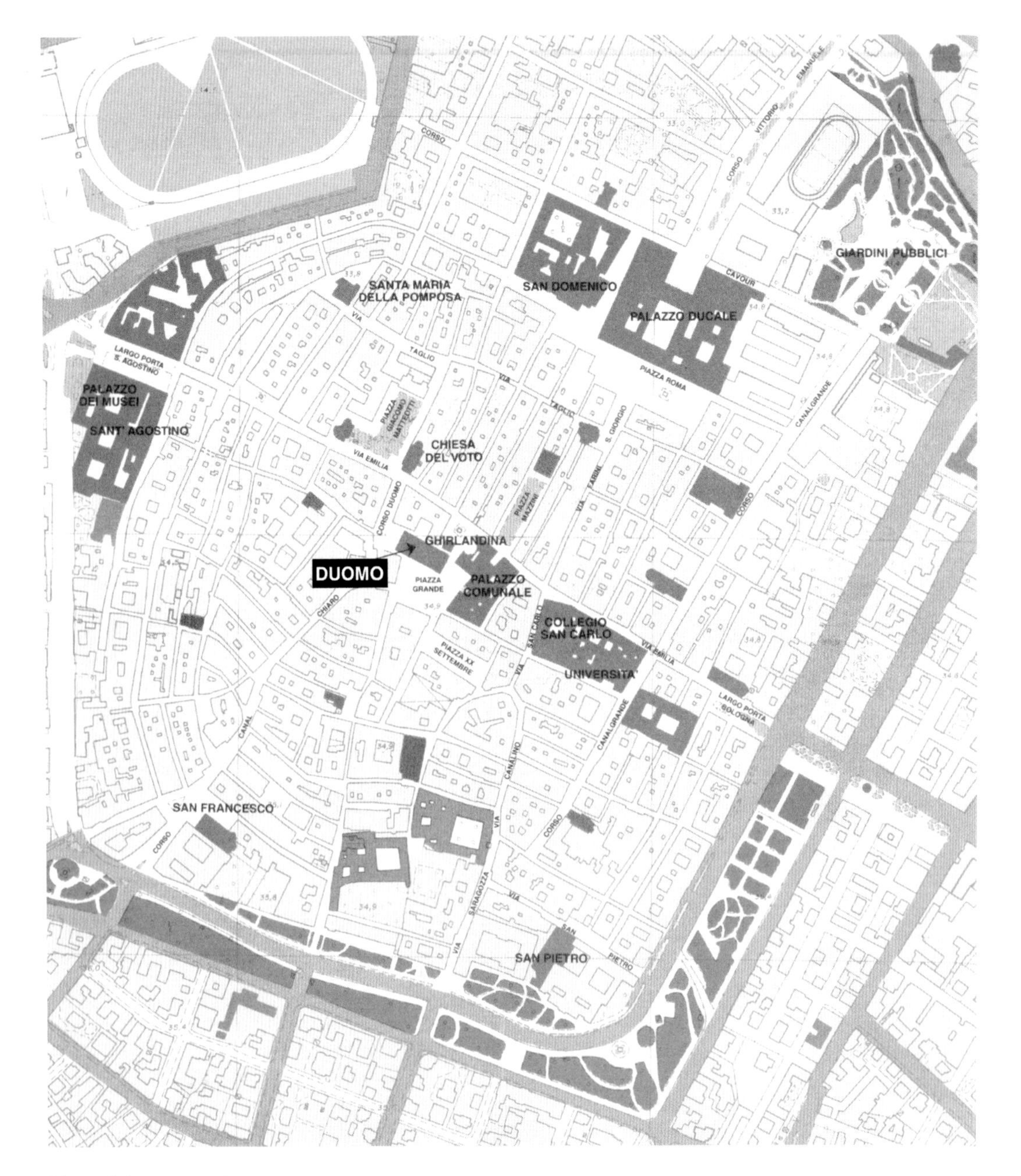

Pianta del centro storico
di Modena.

*Plan of the historical centre
of Modena.*

Il Duomo di Modena

The Cathedral of Modena

a cura di / *edited by*
GIANFRANCO MALAFARINA

fotografie di / *photographs by*
GHIGO ROLI

FRANCO COSIMO PANINI

Avvertenza
Tutte le opere illustrate e numerate in blu nelle didascalie e negli schemi sono elencate e descritte con un commento storico-critico nella sezione delle **Schede** che inizia a p. 107.

Note
All the works illustrated and numbered in blue in the captions and diagrams are listed and described with art-historical comments in the ***Entries*** *beginning on p. 107.*

Traduzione inglese / *English translation*
Mark Roberts

Coordinamento editoriale / *Coordinating Editor*
Rolando Bussi

Responsabile di produzione / *Head of production*
Silvano Babini

Copertina / *Cover*
Silvano Babini

Disegni e impaginazione / *Drawings and pagination*
Roberto Ghiddi, Alessandra Marrama,
Massimo Pignatti

ISBN 88-8290-479-2

Viale Corassori, 24 - 41100 Modena - Italy
Tel. 059343572 - Fax 059344274
e-mail: info@fcp.it
www.francopanini.it

Introduzione

La storia

Proclamato dall'Unesco "Patrimonio dell'Umanità", insieme alla Ghirlandina e all'attigua Piazza Grande, il Duomo di Modena sorge sull'area di un'antica basilica fatta erigere dal vescovo Teodoro, tra la fine del IV e l'inizio del V secolo, per accogliere il sepolcro di san Geminiano, vescovo di Modena, morto il 31 gennaio 397 e subito proclamato patrono della città. Nei secoli seguenti l'antica "Mutina", che in epoca romana era stata un fiorente centro della Via Emilia, andò incontro a un lungo periodo di abbandono e di decadenza, e fu solo nel 752 che quel tempio ormai cadente venne riedificato nel corso di una prima ricostruzione e fortificazione della città. Dopo tre secoli e mezzo, essendo ormai pressoché inagibile anche questo secondo edificio, il clero e la cittadinanza vollero edificare una nuova cattedrale, e il 23 maggio 1099, come ricorda una minuziosa "Relatio" dei lavori redatta dal canonico Aimone (figg. 1 e 2), si gettavano le fondamenta dell'attuale Cattedrale, mentre il 9 giugno dello stesso anno, con la posa della prima pietra, si dava avvio alla costruzione.

Autentica "Biblia pauperum" di pietra, in cui i rilievi svolgono una essenziale funzione di catechesi del popolo di Dio, il Duomo di Modena non risponde soltanto a un articolato disegno didattico e moraleggiante, ma è altresì l'opera corale di un'intera cittadinanza, un altissimo documento della nascente civiltà comunale, la ferma e orgogliosa rivendicazione di autonomia e di libertà formulata in modo tangibile, in un particolare momento storico, da una comunità laboriosa e devota ma insofferente dello strapotere dell'autorità sia imperiale che ecclesiastica. Sul finire del secolo XI l'Italia versava infatti in piena "lotta per le investiture" e il contrasto tra Papato e Impero, impegnati a imporre la propria supremazia anche tramite il diritto di nominare vescovi e abati dotati di ampi poteri, aveva determinato, a Modena, un lungo periodo di vacanza della sede vescovile. Fino al 1094, pur facendo parte dei domini comitali di Matilde di Canossa, la città era rimasta saldamente in pugno al potente vescovo Eriberto, scomunicato nel 1081 da Gregorio VII per le sue simpatie filoimperiali e l'appoggio dato all'antipapa Clemente III. Ma do-

Introduction

History

Declared by UNESCO to be the "Patrimony of Mankind", together with the Ghirlandina and the adjacent Piazza Grande, the Cathedral of Modena stands on the site of an earlier basilica built by the bishop Theodore, in the late 4th and early 5th century, to contain the tomb of St Geminianus, a bishop of Modena who had died on 31 January 397 and had immediately been proclaimed patron of the city. In the following centuries the ancient Mutina, which in Roman times had been a flourishing centre on the Via Emilia, entered into a long period of decline, and it was not until 752 that the original and much-decayed church was rebuilt during a initial reconstruction and fortification of the city. After three and a half centuries, when this second building was in its turn on the point of collapse, the clergy and citizenry decided that they had to build a new cathedral. On 23 May 1099, according to the detailed Relatio drawn up by the canon Aimone (figs. 1 and 2), the foundations of the present Cathedral were laid, and on 9 June the first stone was placed in position.

As a Biblia Pauperum in stone, whose sculptured panels performed an essential function in teaching the truths of religion to the unlettered, the Cathedral of Modena was not only part of a grand moral and didactic scheme, but was also the concerted achievement of the entire body of citizens, a noble testimony of the nascent municipal civilisation, a proud and decisive vindication of autonomy and freedom created in tangible form, at a particular historical moment, by a community that was hard-working and devout but intolerant of authority, whether imperial or ecclesiastical. Towards the end of the 11th century the whole of Italy was in fact in the throes of the "investiture controversy", and the power-struggle between Empire and Papacy, each seeking to impose its own authority also by the appointment of powerful bishops and abbots, had brought about, in Modena, a lengthy vacancy of the episcopal see. Until the year 1094, despite Modena being part of the dominions of Matilda of Canossa, the city had remained under the thumb of its powerful bishop Heribert, who in 1081 had been excommunicated by Pope Gregory

1, 2. *Relatio de innovatione ecclesie sancti Geminiani* (inizi del sec. XII), Modena, Archivio Capitolare:
1) *Operari* e *artifices* costruiscono il Duomo agli ordini di Lanfranco, che tiene in mano la *virga*: in alto si scavano le fondamenta, in basso si innalzano le pareti.
2) *Traslazione delle reliquie* e *Giuramento sulla tomba di san Geminiano.*

1, 2. Relatio de innovatione ecclesie sancti Geminiani *(early 12th cent.), Modena, Chapter Archive:*
1) Operari *and* artifices *building the Cathedral on the orders of Lanfranc, who holds the* virga*: above, the digging of the foundations; below, the raising of the walls.*
2) Traslation of the relics and *Oath on the tomb of St Geminianus.*

1

2

po la morte di Eriberto e del suo successore Benedetto, insediatosi soltanto nel 1096 e scomparso subito dopo, papa Urbano II aveva incontrato non poche difficoltà a trovare un altro candidato di suo completo gradimento ma non inviso alla comunità dei fedeli. Così, quando il nuovo prelato Dodone, nominato nel 1100 contro la volontà del clero locale, riuscì a farsi accettare dalla cittadinanza e a vincere la diffidenza del partito imperiale, il cantiere della nuova Cattedrale era già stato aperto in assenza del vescovo, diventando di fatto l'emblema di una evidente aspirazione all'autogoverno destinata a sfociare, qualche anno dopo, nelle istituzioni consiliari del Libero Comune.

Alla direzione dei lavori fu chiamato l'architetto Lanfranco, probabilmente originario di quella zona

VII for his pro-imperial machinations and for his support of the anti-pope Clement III. But after the death of Heribert and that of his short-lived successor Benedict in 1096, Pope Urban II encountered considerable difficulties in finding a candidate who was agreeable both to himself and to the citizens. Thus, by the time the new prelate Dodo, appointed in 1100 against the wishes of the local clergy, had managed to win the confidence of the citizens and to overcome the resistance of the imperial faction, the construction of the new Cathedral had already begun, and had in fact become the symbol of those aspirations towards self-government that were to develop within a few years into the institution of the "Libero Comune".

The architect of the new Cathedral was a certain

3. Il lato settentrionale del duomo durante l'isolamento in una foto Orlandini (1898-1899).
Modena, Associazione Archivi fotografici Giuseppe Panini.

*3. The south side of the Cathedral during clearage work, in a photograph by Orlandini (1898-1899).
Modena, Giuseppe Panini photographic archive.*

attorno ai laghi lombardi da cui fin dal VII secolo si erano spinti in tutta Italia gli abili costruttori e lapicidi noti come Maestri Campionesi. Definito "ingenio clarus ... doctus et aptus" ("celebre per il suo ingegno ... sapiente e dotto") da un'epigrafe murata nell'abside maggiore, Lanfranco fu il responsabile della prima fase di progettazione e di realizzazione del Duomo, ma venne ben presto affiancato dallo scultore Wiligelmo, il quale fu l'artefice di un mutamento di indirizzo connesso con il nuovo ruolo guida assunto dal partito decorativo e dai rilievi marmorei. Procedendo in perfetta armonia l'uno dall'abside, l'altro dalla facciata, i due protagonisti del cantiere modenese dovettero lavorare con notevole alacrità se già il 30 aprile 1106, consacrato l'altare maggiore, le reliquie del santo venivano solennemente traslate nella nuova cripta alla presenza di papa Pasquale II e di Matilde di Canossa, mentre i resti della primitiva costruzione venivano abbattuti per consentire i lavori di ricongiunzione perimetrale ed interna. Concluso entro il terzo decennio del XII secolo il diretto intervento di Lanfranco e Wiligelmo, ad essi subentrarono alcuni seguaci e varie maestranze campionesi che proseguirono i lavori fino a quando, il 12 luglio 1184, l'edificio fu definitivamente consacrato da papa Lucio III.

3

Numerose furono, in seguito, le manomissioni e le alterazioni apportate all'esterno dell'edificio, tanto che alla fine dell'Ottocento varie costruzioni erano ancora addossate ai lati nord e sud (figg. 3 e 4). Nacque allora l'esigenza di isolare il Duomo e di enfatizzare gli spazi circostanti mediante la parziale demolizione degli edifici adiacenti, interventi che fortunatamente non alterarono in maniera sostanziale il contesto ambientale dell'insigne monumento.

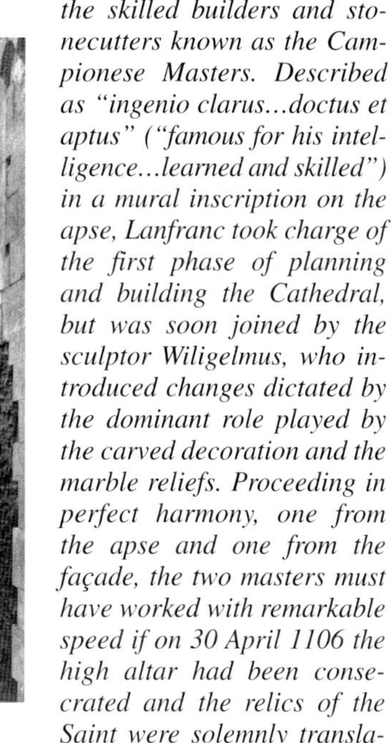

Lanfranc. He probably came originally from that area around the Lombard lakes which since the 7th century had been supplying the whole of Italy with the skilled builders and stonecutters known as the Campionese Masters. Described as "ingenio clarus...doctus et aptus" ("famous for his intelligence...learned and skilled") in a mural inscription on the apse, Lanfranc took charge of the first phase of planning and building the Cathedral, but was soon joined by the sculptor Wiligelmus, who introduced changes dictated by the dominant role played by the carved decoration and the marble reliefs. Proceeding in perfect harmony, one from the apse and one from the façade, the two masters must have worked with remarkable speed if on 30 April 1106 the high altar had been consecrated and the relics of the Saint were solemnly translated to the new crypt in the presence of Pope Pasqual II and of Countess Matilda. The remains of the earlier building were demolished in order to allow work on the perimeter and interior to proceed. The contribution of Lanfranc and Wiligelmus came to an end in the 1120s and they were replaced by various followers and other Campionese Masters who carried on the work until 12 July 1184, when the Cathedral was finally consecrated by Pope Lucius III.

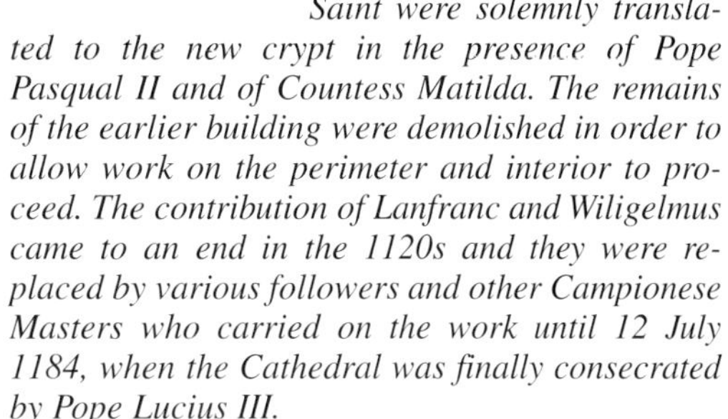

In later centuries numerous alterations were made to the outside of the building, and at the end of the 19th century there were various constructions backing onto the north and south sides (figs. 3 and 4). It thus became necessary to isolate the Cathedral and to emphasise the surrounding space by the partial demolition of these adjacent buildings, which luckily left the context of this noble monument substantially unimpaired.

4. La facciata del duomo prima del 1892, con gli edifici ancora addossati a nord e a sud.
Modena, Museo Civico d'arte.

4. The façade of the Cathedral before 1892, with buildings still clinging to it to north and south.
Modena, Civic Art Museum.

L'architettura e i rilievi

Divisa in tre parti da alti pilastri che danno slancio al prospetto, replicando la suddivisione interna in tre navate, la facciata semplice e severa è illeggiadrita da un'armoniosa loggia a sei arcate e dall'elegante protiro d'ingresso, sormontato da un'edicola e sostenuto da due leoni stilofori di epoca romana ricollocati in loco nel 1924 (fig. 5). Ai lati del Portale maggiore, due porte, aperte nel secolo XIII dai Maestri Campionesi, danno accesso alle navate laterali, mentre nella zona centrale campeggia, in alto, il grande rosone gotico realizzato anch'esso dai Campionesi. Ovunque sulla facciata rifulge l'arte somma di Wiligelmo, grande protagonista del romanico europeo la cui opera, caratterizzata da un linguaggio scultoreo possente ed austero, dovette colpire non poco i contemporanei, come dimostra l'encomio aggiunto in un secondo tempo alla lapide della facciata.

L'intenso plasticismo dell'arte di Wiligelmo si manifesta già negli stipiti del portale, dove la lotta tra l'uomo e il peccato è adombrata da varie figure umane inserite entro viluppi vegetali abitati da esseri mostruosi, mentre nell'archivolto e nell'architrave liete scene di vendemmia, allusive al viaggio verso la "vigna del Signore", sottolineano il significato della Porta della Chiesa, crinale simbolico tra la comunità dei fedeli raccolti all'interno e le insidie del mondo esterno. La stessa intonazione si avverte nelle quattro grandi lastre con *Storie del Genesi* allineate in origine ad altezza d'uomo e in seguito divise per far posto alle porte laterali. Scolpite nelle pietre dell'antica cattedrale, sono le opere più note e ammirate dello scultore per la toccante capacità narrativa e la straordinaria forza espressiva, calate in forme sintetiche e potenti che lastra dopo lastra danno vita a vari episodi biblici accostati senza soluzione di conti-

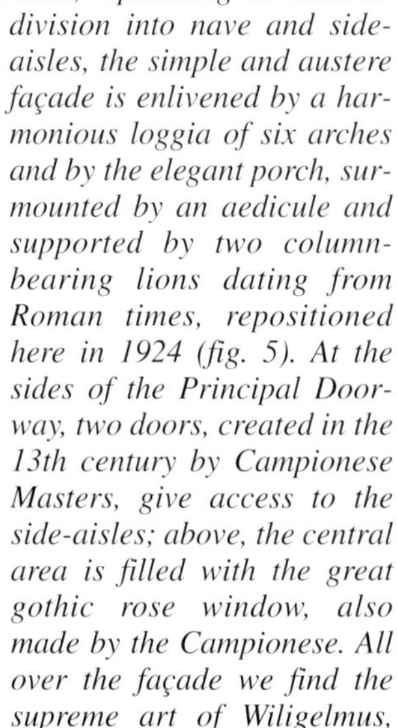
4

The architecture and the reliefs

Divided into three parts by tall pilasters that provide vertical emphasis, replicating the interior division into nave and side-aisles, the simple and austere façade is enlivened by a harmonious loggia of six arches and by the elegant porch, surmounted by an aedicule and supported by two column-bearing lions dating from Roman times, repositioned here in 1924 (fig. 5). At the sides of the Principal Doorway, two doors, created in the 13th century by Campionese Masters, give access to the side-aisles; above, the central area is filled with the great gothic rose window, also made by the Campionese. All over the façade we find the supreme art of Wiligelmus, the great master of European Romanesque whose work, characterised by a powerful and spare sculptural style, must have greatly impressed his contemporaries, judging from the eulogy added to the inscription on the façade.

The intensely sculptural quality of Wiligelmus's art appears in the jambs of the doorway, where the struggle between man and sin is adumbrated by various human figures inserted into plant-based decoration inhabited by monsters; in the archivolt and architrave, festive scenes of the vintage allude to the "Lord's Vineyard" and emphasise the significance of the Church Door, the symbolic barrier between the faithful gathered inside and the dangers of the world outside. The same notion is to be detected in the four large panels with Scenes from Genesis, *which originally stood in a row at head-height but were later rearranged to make room for the two lateral doorways. Sculpted in stone from the earlier cathedral, they are the sculptor's best-known and most admired works with their touching narrative skill and extraordinary expressive power: panel by panel they bring the various biblical*

5. Il Portale maggiore con i manifesti mortuari incollati e i leoni ottocenteschi del protiro, opera dello scultore modenese Luigi Righi, poi sostituiti dalle originarie protomi leonine di epoca romana (foto del 1882).
Roma, Gabinetto Fotografico Nazionale.

5. *The Principal Doorway with pasted mortuary announcements, and with the 19th-century lions by the Modenese sculptor Luigi Righi, which were later replaced by the original Roman lions (photograph of 1882).*
Rome, Gabinetto Fotografico Nazionale.

nuità sotto un elegante loggiato a tutto sesto.

La mano di Wiligelmo è riconoscibile in altri rilievi della facciata, come la lastra con *Sansone che smascella il leone*, i profeti *Enoc* ed *Elia* ai lati della lapide e i due *Genietti reggifiaccola*, ma il resto dell'ornamentazione scultorea si deve ad allievi della sua bottega oppure a più tardi Maestri Campionesi, gli uni e gli altri, tuttavia, capaci di bene intendere e di tradurre con immutato risalto plastico la particolare visione figurativa del caposcuola. Alla scuola di Wiligelmo si devono anche i mirabili capitelli figurati e i fantasiosi peducci che adornano le semicolonne, le colonne della loggia e i sottostanti archetti pensili non solo sulla facciata ma lungo l'intero perimetro dell'edificio, in una profusione di motivi vegetali e di esseri favolosi che fanno di ogni capitello e di ogni mensola un "unicum" scultoreo di prodigiosa ricchezza inventiva. Non meno curiose sono poi le antefisse (o metope) con esseri mostruosi e fantastici che scandiscono i salienti del tetto, opera di un maestro assai vicino a Wiligelmo, soprannominato Maestro delle Metope, le quali possono essere oggi ammirate al Museo Lapidario del Duomo mentre in loco sono state poste delle copie moderne di Benedetto Boccolari.

Agli inizi del XII secolo due diversi artisti, il Maestro di San Geminiano, più vicino ai modi di Wiligelmo, e il Maestro dell'Agnus Dei, diedero mano alla prima porta del fianco meridionale, purtroppo danneggiata da un bombardamento nel maggio 1944. È la cosiddetta Porta dei Principi, nota in origine come Porta del Battesimo perché passando da qui si accedeva direttamente al fonte battesimale. Anche negli stipiti e nell'archivolto di questa porta ritroviamo un lussureggiante tralcio di verzura con uomini e animali, ma l'elemento che merita maggiore attenzione è certamente la faccia

5

episodes to life, each one flowing into the next, beneath the elegant loggia with its rounded arches.

The hand of Wiligelmus can also be discerned in other reliefs on the façade, such as the panel showing Samson breaking the lion's jaw, *the prophets* Enoch *and* Elias *flanking the inscription, and the two* Winged genii with torches, *but the rest of the sculptural decoration is evidently by workshop-pupils or by Campionese Masters – both groups being eminently capable of continuing Wiligelmus's vision in effectively sculptural terms. His followers were undoubtedly responsible for the wonderful figured capitals and the fantastical corbels that adorn the semicolumns, the columns of the loggia and the pensile arches not only on the façade but around the entire perimeter of the building, in a profusion of plant-motifs and fabulous beings that makes each capital and each corbel an unicum of prodigious sculptural inventiveness. No less curious are the metopes with monstrous and fantastical creatures that are carved on the head blocks of the diaphragm-arches of the nave, the work of a master who is very close in spirit to Wiligelmus and has been called Master of the Metopes: the originals can now be admired in the Cathedral Museum, having been replaced by modern copies made by Benedetto Boccolari.*

In the early 12th century two different artists, the Master of St Geminianus (who is closer to Wiligelmus) and the Master of the Agnus Dei, worked on the first doorway in the south side, which was unfortunately damaged by aerial bombardment in May 1944. This is the so-called Doorway of the Princes, originally known as the Door of Baptism because it led directly to the font. Here too in the jambs and archivolt we find a profusion of vegetation with men and animals, but the most remarkable feature is undoubtedly the anterior surface of

6. L'interno del duomo con le tombe altomedievali scoperte nella navata meridionale davanti alla Cappella Bellincini (foto Orlandini del 1913). Modena, Associazione Giuseppe Panini Archivi modenesi.

6. The interior of the Cathedral, showing the early-medieval tombs discovered in the south aisle in front of the Bellincini Chapel (photograph by Orlandini, 1913). Modena, Giuseppe Panini Modenese archive.

anteriore dell'architrave, dove in sei gustosi quadretti un abile seguace di Wiligelmo narra episodi della vita di san Geminiano.

Non prevista dall'iniziale progetto di Lanfranco, la successiva, monumentale Porta Regia, eretta da Anselmo da Campione e aiuti tra la fine del XII secolo e i primi decenni del XIII, si inserisce mirabilmente nelle membrature architettoniche preesistenti, fungendo quasi da seconda facciata sulla Piazza Grande. Le ultime arcate del fianco meridionale, incorporate in un falso transetto eretto per dare maggiore imponenza all'esterno dell'edificio, racchiudono due importanti manufatti rinascimentali: il pulpito di piazza, realizzato da Giacomo da Ferrara e dal figlio Paolo agli inizi del Cinquecento, e il bassorilievo del fiorentino Agostino di Duccio con *Storie della vita di san Geminiano*, del 1442.

Particolarmente suggestiva risulta anche la veduta delle absidi, dove Lanfranco sperimentò il modulo della loggia continua con arcate a trifore esteso poi all'intero perimetro e alla facciata dell'edificio. Sul fianco nord, a cui nell'Ottocento erano addossati vari corpi di fabbrica poi demoliti per aprire l'attuale via Lanfranco, si varcano due archi gotici e si ha subito modo di ammirare la bellissima Porta della Pescheria. Preceduta da un doppio protiro con colonne poggianti su leoni stilofo-

the architrave, where six delightful panels by a skilled follower of Wiligelmus narrate Scenes from the life of St Geminianus.

Not envisaged in Lanfranc's plans, the later monumental Royal Doorway was made by Anselm of Campione and his assistants in the late 12th and early 13th century. It is wonderfully in harmony with the existing architecture and acts as a secondary façade facing onto Piazza Grande. The last bays on the south side, incorporated into a false transept built to add greater mass to the exterior of the building, enclose two important renaissance works: the pulpit overlooking the piazza, made by Giacomo da Ferrara and his son Paolo in the early 16th century, and the bas-relief by the Florentine sculptor Agostino di Duccio, with Scenes from the life of St Geminianus, *dating from 1442.*

Particularly attractive is the view of the apses, where Lanfranc experimented with a continuous loggia formed of triple arches, which he then extended around the entire perimeter and across the façade. On the north side, which in the 19th century was still covered with various buildings later demolished to make way for the present Via Lanfranco, we find the beautiful "Pescheria" Doorway. Preceded by a porch with columns supported by lions, it has splendid decoration by followers of Wiligelmus, with a great variety of fantastical motifs and an important narrative carving derived from the Breton Arthurian cycle.

The interior

The monumental exterior is complemented, in Lanfranc's plans for the interior, by a sober and austere atmosphere, given warmth and charm by the almost uniform use of brick and by the light that filters through the side windows and the great rose window. The basilical plan is divided into nave and aisles, with massive cruciform piers in brickwork separating the five bays of the nave,

6

7. Il pontile prima dei restauri.
Da *Album fotografico dei Restauri interni, 1886 ca.*
Modena, Archivio Capitolare.

7. The "pontile" before its restoration.
From Album fotografico dei Restauri interni, ca. 1886.
Modena, Chapter Archive.

ri, reca uno splendido portale istoriato da allievi di Wiligelmo con una grande varietà di motivi leggendari, fantastici e decorativi tra cui primeggia la narrazione del ciclo cavalleresco bretone.

L'interno

All'aspetto monumentale dell'esterno fa riscontro, nel progetto dell'interno elaborato da Lanfranco, un'atmosfera di sobrio e austero raccoglimento, resa più calda e suggestiva dall'impiego pressoché uniforme del laterizio e dagli effetti di luce che filtrano dalle finestre e dal grande rosone. L'impianto basilicale è suddiviso in tre navate, con imponenti pilastri cruciformi in cotto che scandiscono le cinque campate della navata centrale e colonne di marmo che dividono in due arcate gli spazi tra i pilastri. Armonioso e solenne nella serrata articolazione dei suoi volumi, l'interno si conclude con una vasta sopraelevazione accessibile tramite due scale laterali e chiusa nel fondo da tre absidi.

Tra i numerosi tesori d'arte visibili lungo le navate laterali, si segnalano vari monumenti sepolcrali di ecclesiastici e di notabili, una pregevole statua lignea trecentesca di *San Geminiano* e la bellissima ancona quattrocentesca in terracotta di Michele da Firenze nota come "Altare delle statuine" o di Santa Caterina, mentre la pittura annovera la splendida *Pala di san Sebastiano* di Dosso Dossi e gli interessanti affreschi quattrocenteschi della Cappella Bellincini, attribuiti a Cristoforo Canozi da Lendinara. L'opera più interessante resta tuttavia il *Presepe* in terracotta del plasticatore modenese Antonio Begarelli, un insieme di eccezionale qualità esecutiva in cui pastori e animali modellati con rara finezza si raccolgono attorno al gruppo sacro secondo una sapiente regia compositiva.

Il presbiterio sopraelevato presenta un'alta recinzione con doppio ordine di colonne, sormontata

and marble columns dividing the secondary spaces. Harmonious and majestic in the ordered articulation of its volumes, the interior concludes with a large raised area reached by two flights of steps and closes with a triple apse.

Among the numerous works of art to be found in the aisles, we might mention the various monumental tombs of ecclesiastical and lay notables, the fine 14th-century wooden statue of St Geminianus, *and the beautiful 15th-century terracotta altarpiece by Michele da Firenze which is known as the* Altar of the Statuettes *or of St Catherine. Among the paintings we might mention the splendid* Altarpiece of St Sebastian *by Dosso Dossi and the interesting 15th-century frescoes in the Bellincini Chapel, attributed to Cristoforo Canozi da Lendinara. The most enthralling work is however the terracotta* Crib *by the Modenese sculptor Antonio Begarelli, an ensemble of rare quality in which beautifully modelled shepherds and animals gather around the Holy Family in a skilfully planned composition.*

The raised presbytery has a high enclosure with a double row of columns, surmounted by an entablature of the late 12th century finely decorated by Campionese Masters. The high altar is of almost the same period, while the precious cusped

7

da una trabeazione della fine del secolo XII finemente decorata dai Maestri Campionesi. Pressoché coevo è l'altare maggiore, mentre è datato al 1385 il prezioso polittico cuspidato del modenese Serafino dei Serafini. Degni di nota, nell'abside, sono la curiosa *Edicola del san Geminiano* e il coro ligneo quattrocentesco dei fratelli Cristoforo e Lorenzo Canozi da Lendinara, interamente ricoperto da splendide tarsie con motivi architettonici e di natura morta. Altre tarsie di pregevole fattura si trovano nell'absidiola nord, dove si ammira anche il gruppo scultoreo di Agostino di Duccio raffigurante *San Geminiano che salva un fanciullo*.

Nella navata centrale, dopo avere ammirato lo stupendo pulpito trecentesco di Enrico da Campione, l'attenzione va rivolta soprattutto all'ambone e al pontile in marmo prospicienti il presbiterio, superbe prove scultoree eseguite tra il secolo XII e il XIII dai Maestri Campionesi e universalmente annoverate tra i maggiori capolavori dell'arte romanica. L'attuale collocazione del rilievo è piuttosto recente, poiché fino ai primi anni del Novecento l'area presbiteriale, modificata ed estesa alla fine del Cinquecento, si presentava chiusa da una balaustra in ferro (fig. 7) e le varie lastre erano murate in diversi luoghi del Duomo. Accertata la loro comune provenienza, furono intrapresi importanti lavori di scavo nell'area della cripta e il parapetto venne ricomposto secondo l'assetto odierno. Contrassegnati da un vigoroso risalto plastico e da un'intensa drammaticità, i rilievi policromi del pontile, probabilmente anteriori alla consacrazione del 1184, allineano cinque episodi della Passione di Cristo, mentre le sei lastre dell'ambone, aggiunte qualche anno dopo, mostrano coppie di *Dottori della Chiesa* e di *Simboli degli Evangelisti, Cristo in maestà* e *Cristo che desta san Pietro*.

Sotto il pontile, eleganti colonnette sorrette da telamoni e leoni stilofori, sormontate da bellissimi capitelli, creano una suggestiva cornice all'ingresso della cripta, dove un ampio vano a tre navate accoglie un antico sarcofago con le spoglie di san Geminiano e il gruppo con la *Sacra Famiglia* modellato in terracotta policroma, alla fine del Quattrocento, dal plasticatore modenese Guido Mazzoni e noto anche come "Madonna della pappa".

polyptych by the Modenese painter Serafino dei Serafini is dated 1385. Worthy of note, in the apse, are the unusual Aedicule of St Geminianus *and the 15th-century wooden choir by the brothers Cristoforo and Lorenzo Canozi da Lendinara, entirely covered with magnificent intarsia showing architectural motifs and still lifes. More fine intarsia work is to be found in the north lobe of the apse, where we can also admire the sculptural group of* St Geminianus saving a child *by Agostino di Duccio.*

In the nave, after we have admired the marvellous 14th-century pulpit by Enrico da Campione, our attention is drawn to the marble ambo and "pontile" in front of the presbytery, superb works of sculpture carved in the 12th and 13th century by Campionese Masters and universally regarded as masterpieces of the Romanesque style. The present arrangement is somewhat recent, since until the early 20th century the presbytery area, which had been modified and extended in the late 16th century, was enclosed by iron railings (fig. 7) and the various reliefs were set in different places into the walls of the Cathedral. Once their common provenance was known, major excavations were carried out in the crypt, and the present arrangement of the parapet was put into effect. Characterised by vigorous sculptural values and by an intense dramatic quality, the polychrome reliefs of the "pontile" (which probably ante-date the consecration of 1184) show five scenes from the Passion of Christ*; the six panels on the ambo, added some years later, represent pairs of* Doctors of the Church *and of* Symbols of the Evangelists, *as well as* Christ in Majesty *and* Christ rousing St Peter.

Beneath the "pontile", elegant colonnettes supported by telamons and lions, and surmounted by most beautiful capitals, form an agreeable entrance to the crypt, a large space divided into three sections. The crypt contains an antique sarcophagus enclosing the mortal remains of St Geminianus, and also the group of the Holy Family *(known as the "Madonna della pappa") modelled in polychrome terracotta, in the late 15th century, by the Modenese master Guido Mazzoni.*

Il Duomo di Modena

The Cathedral of Modena

Illustrazioni

Photographs

1

1 Veduta aerea del centro storico di Modena da sud.

2 Veduta aerea del Duomo, della Ghirlandina e di Piazza Grande, da ovest.

1 Aerial view of the centre of Modena seen from the south.

2 Aerial view of the Cathedral, of the Ghirlandina and Piazza Grande, seen from the west.

La facciata

Con ogni probabilità va individuato in Wiligelmo il "regista" della facciata. Fu lui che arricchì con nuovi valori scultorei il progetto architettonico di Lanfranco: le quattro lastre con le *Storie del Genesi*, il portale maggiore, i rilievi con i genietti reggifiaccola, l'iscrizione con la data di fondazione della cattedrale e la firma dello scultore, i capitelli delle loggette e delle semicolonne. Il grande rosone fu aggiunto nel Duecento da Anselmo da Campione.

The façade

It was in all probability Wiligelmus who was responsible for the façade. He enriched Lanfranc's architectural scheme with new sculptural values: the four panels with Episodes from Genesis, *the principal Doorway, the winged geniuses with torch, the inscription with the date of foundation and the signature of the sculptor, the capitals on the loggias and the semi-columns. The great rose window was added by Anselmo da Campione in the 13th century.*

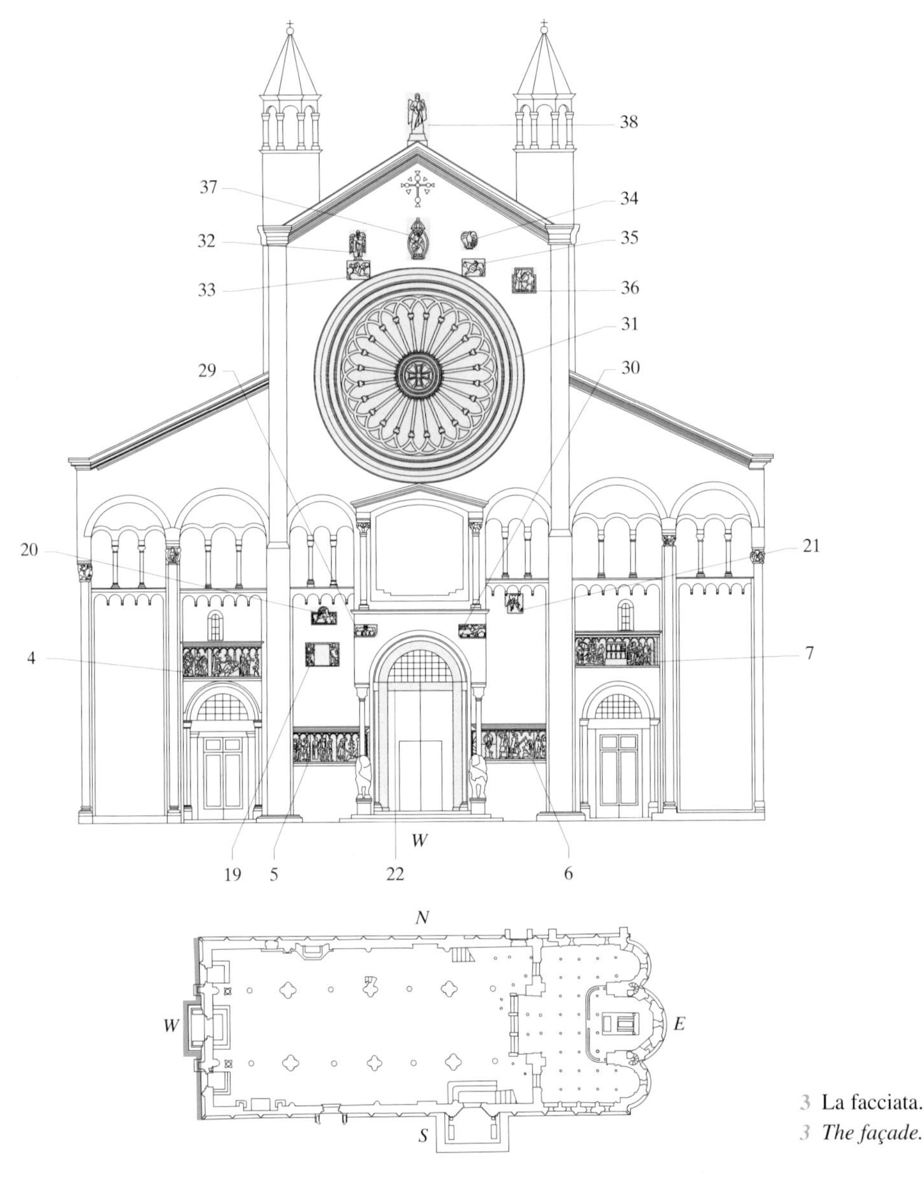

3 La facciata.
3 *The façade.*

Facciata / *Façade.*

Wiligelmo. Lastre con storie del Genesi.

Wiligelmus. Panels with episodes from Genesis.

Prima lastra / *First panel.*

4 *L'Eterno in mandorla e la creazione d'Adamo.*
God the Father in a mandorla, and the creation of Adam.

La creazione di Eva.
The creation of Eve.

Il Peccato Originale.
Original sin.

Seconda lastra / *Second panel.*

5 *L'Eterno rimprovera Adamo ed Eva.*
God the Father reproaches Adam and Eve.

La cacciata dei Progenitori.
The expulsion from Paradise.

Adamo ed Eva zappano la terra.
Adam and Eve digging the earth.

Terza lastra / *Third panel.*

6 *Il sacrificio di Caino e Abele.*
The sacrifice of Cain and Abel.

Caino uccide Abele.
Cain kills Abel.

L'Eterno rimprovera Caino.
God the Father reproaches Cain.

Quarta lastra / *Fourth panel.*

7 *Lamech uccide Caino.*
Lamech kills Cain.

L'arca di Noè.
Noe's Ark.

L'uscita dall'arca di Noè e dei figli.
Noe and his sons leave the Ark.

4

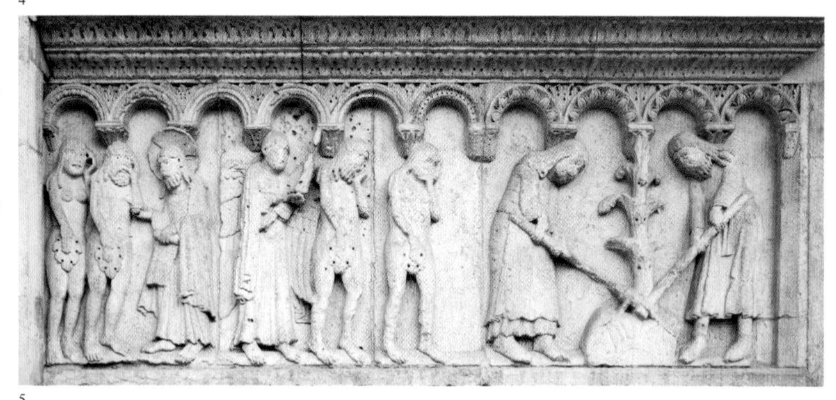

5

6

7

8
Facciata.
Wiligelmo.
Prima lastra con storie del Genesi.
8 *La creazione di Eva.*

Façade.
Wiligelmus.
First panel with episodes from Genesis.
8 The Creation of Eve.

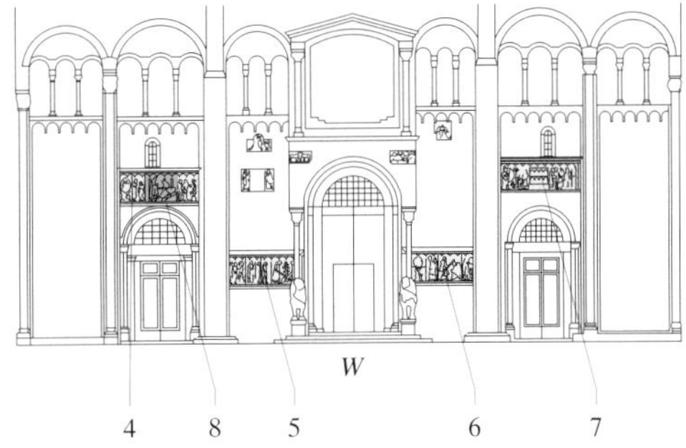

9

10

11

12

Facciata.
Wiligelmo.
Seconda lastra
con storie del Genesi.

9, 10 Particolari.

Terza lastra
con storie del Genesi.

11, 12 Particolari.

Façade.
Wiligelmus.
Second panel with episodes from Genesis.

9, 10 Details.

Third panel with episodes from Genesis.

11, 12 Details.

13

Facciata.
Wiligelmo.
Quarta lastra con storie del Genesi.
13 *Lamech uccide Caino.*

Façade.
Wiligelmus.
Fourth panel with episodes from Genesis.
13 Lamech kills Cain.

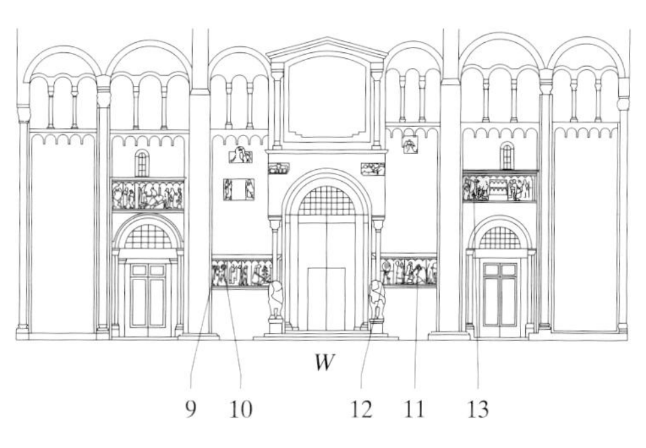

14

15

16

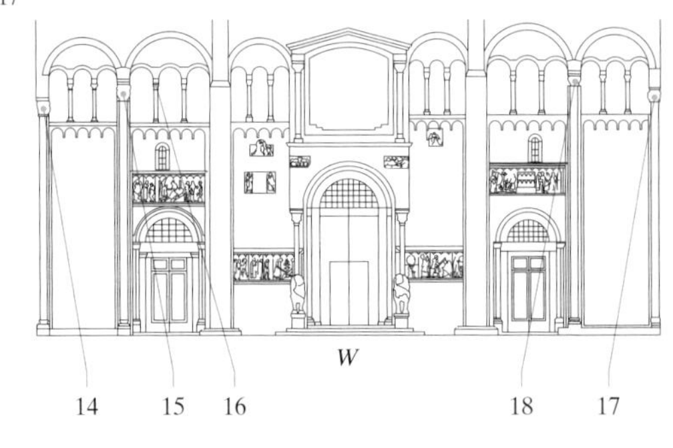

17

Facciata.

14-18 Capitelli.

Façade.

14-18 Capitals.

19

Facciata.
Wiligelmo.

19 *Enoc* ed *Elia* reggono la tabella con l'iscrizione che ricorda la fondazione del Duomo.
20 *Genietto reggifiaccola e pellicano.*
21 *Genietto reggifiaccola.*

Façade.
Wiligelmus.

19 Enoch *and* Elias *supporting the tablet with the inscription recording the foundation of the Cathedral.*
20 Winged genius with torch and pelican.
21 Winged genius with torch.

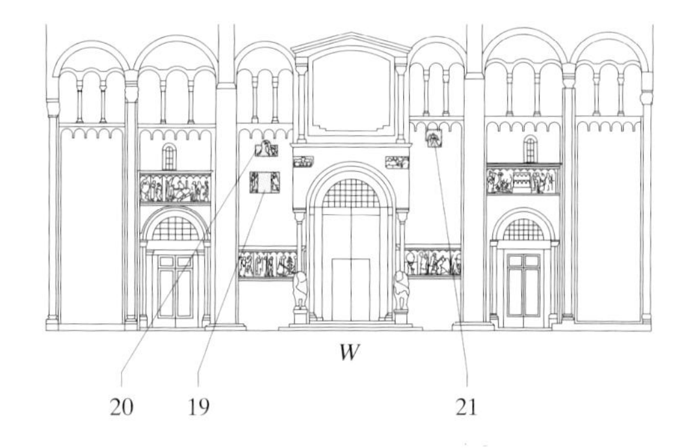

20

21

Il Portale maggiore

The Principal Doorway

Il Portale maggiore, certamente attribuibile a Wiligelmo, è uno dei momenti più significativi del programma iconografico della facciata. Sugli stipiti esterni, sorretti da telamoni, si svolge il motivo del tralcio abitato, culminante con l'immagine del segno zodiacale dei Gemelli sull'archivolto. All'interno degli stipiti troviamo poi le immagini di dodici *Profeti*. Le scelte ornamentali delle altre sculture rimandano al repertorio classico.

The Principal Doorway, certainly to be attributed to Wiligelmus, is one of the most important features of the iconographic programme of the façade. The external jambs, supported by telamons, are covered with the motif of the inhabited vine; at the top of the archivolt is the zodiacal sign of Gemini. The inner surfaces of the jambs are decorated with the images of twelve Prophets. *The ornamental style of the remaining sculptures derives from classical antiquity.*

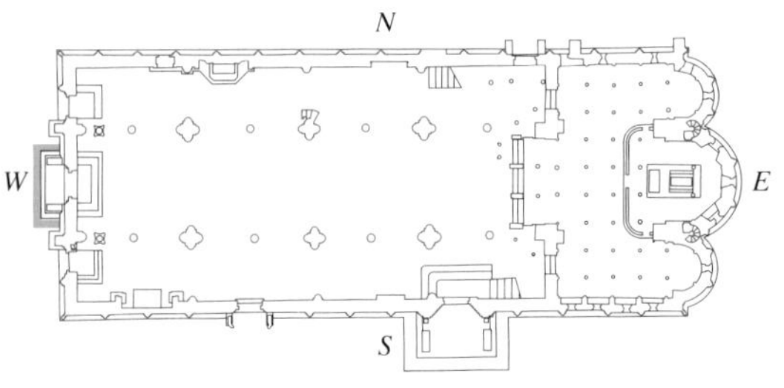

Facciata.
22 Il Portale maggiore.

Façade.
22 The Principal Doorway.

22

23

24

25

26

27

28

Facciata.
Wiligelmo.
Portale maggiore.

23, 24 Particolari del tralcio abitato.
25 *Il profeta Abacuc.*
26 *Il profeta Ezechiele.*
27 *Il profeta Isaia.*
28 Capitello destro.

Façade.
Wiligelmus.
Principal Doorway.

23, 24 Details of the inhabited foliage.
25 The prophet Habacuc.
26 The prophet Ezechiel.
27 The prophet Isaias.
28 Right capital.

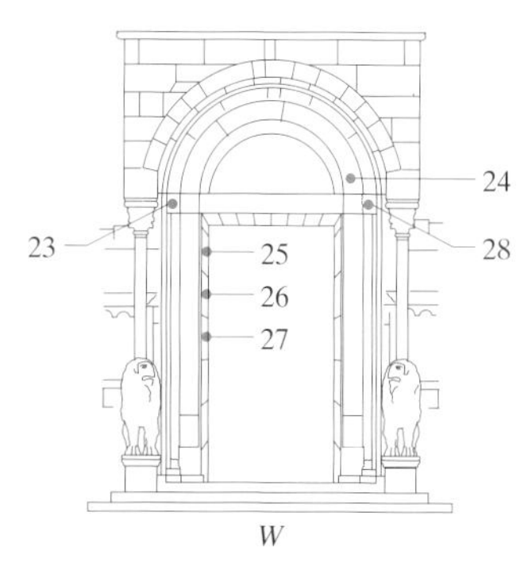

29

30

31

Facciata.

29 Rilievo con cervi che si abbeverano alla fonte.
30 Rilievo con leoni, animali fantastici e una figura umana.
31 Il rosone campionese.

Façade.

29 Relief with deer drinking at a fountain.
30 Relief with lions, fantastical beasts and a human figure.
31 The Campionese rose window.

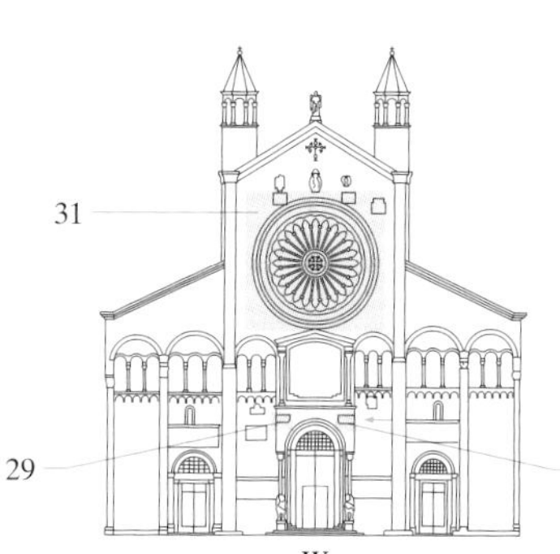

32

33

34

35

Facciata.

32-35 I simboli degli Evangelisti.

Façade.

32-35 The symbols of the Evangelists.

36

Facciata.

36 *Sansone smascella il leone.*

Façade.

36 Samson breaks the lion's jaw.

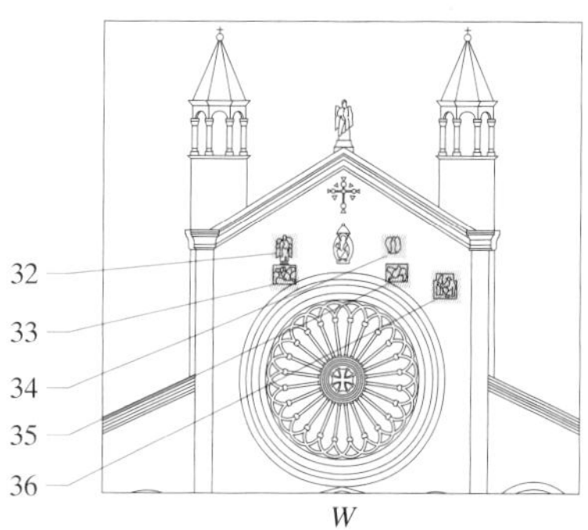

A ω

38
Facciata.
37 *Il Redentore.*
38 Angelo.

Façade.
37 The Redeemer.
38 *Angel.*

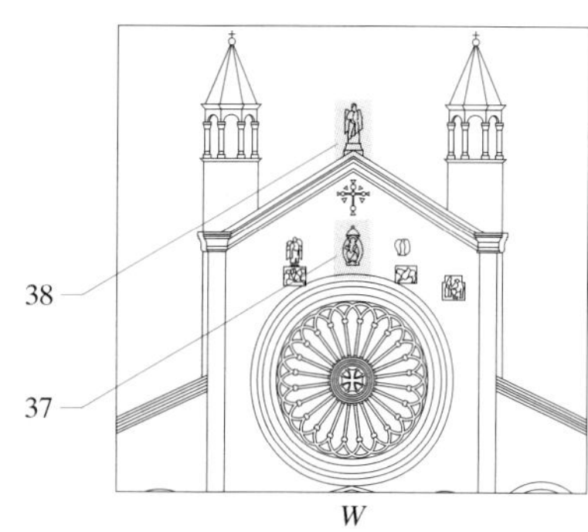

Il fianco sud

The south side

Le principali emergenze del fianco meridionale sono costituite dalla Porta dei Principi e dalla Porta Regia. Testimonianze storico-artistiche importanti sono poi la lunga iscrizione riguardante la consacrazione della cattedrale da parte di papa Lucio III (1184), e i bassorilievi di Agostino di Duccio con storie di san Geminiano (1442).

The main features of the south side are the Doorway of the Princes and the "Porta Regia". The long inscription commemorating the consecration of the Cathedral by Pope Lucius III in 1184, and the bas-reliefs with scenes from the life of St Geminianus by Agostino di Duccio (1442), are of both artistic and historical importance.

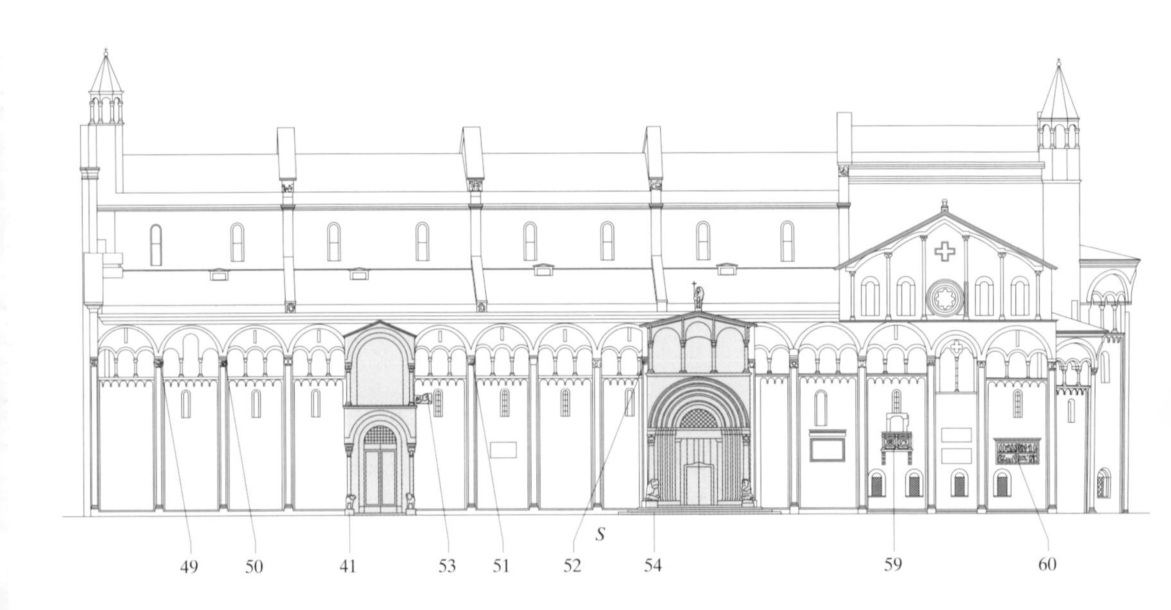

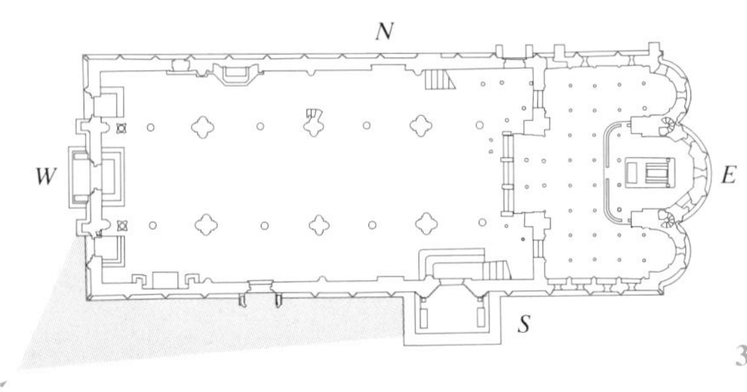

39 La congiunzione tra la facciata e il fianco sud.

39 The join between the façade and the south side.

40 Il fianco sud e la Piazza Grande.

40 The south side and the Piazza Grande.

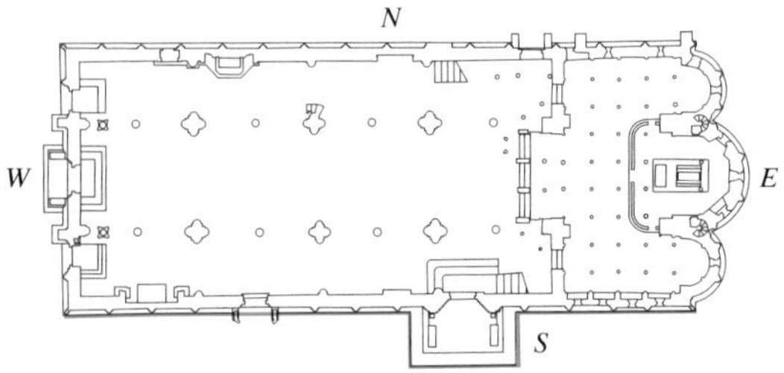

La Porta dei Principi

Agli inizi del XII secolo due diversi artisti, il Maestro di San Geminiano, più strettamente legato a Wiligelmo, e il Maestro dell'Agnus Dei, eseguono la decorazione scultorea della Porta dei Principi. Sugli stipiti esterni si snoda il motivo del tralcio abitato mentre sulle facce interne una teoria di piccole edicole ospita le figure dei dodici Apostoli, di san Geminiano e di un diacono. Nell'architrave sono scolpiti alcuni episodi della vita del santo patrono e nella faccia inferiore troviamo l'immagine dell'*Agnello mistico* sorretta da due angeli e fiancheggiata dalle figure di *San Paolo* e di *San Giovanni Battista*.

The Doorway of the Princes

In the early 12th century two different artists, the "Master of St Geminianus", more closely connected to Wiligelmus, and the "Master of the Agnus Dei", carried out the sculptural decoration on the Doorway of the Princes. The external jambs are covered with the motif of the inhabited foliage; inside the jambs, small aedicules contain the figures of the Twelve Apostles, St Geminianus and a deacon. The architrave has some scenes from the life of the Patron Saint; on its inner surface, the Mystic Lamb *is supported by two angels, and flanked by the figures of* St Paul *and* St John the Baptist.

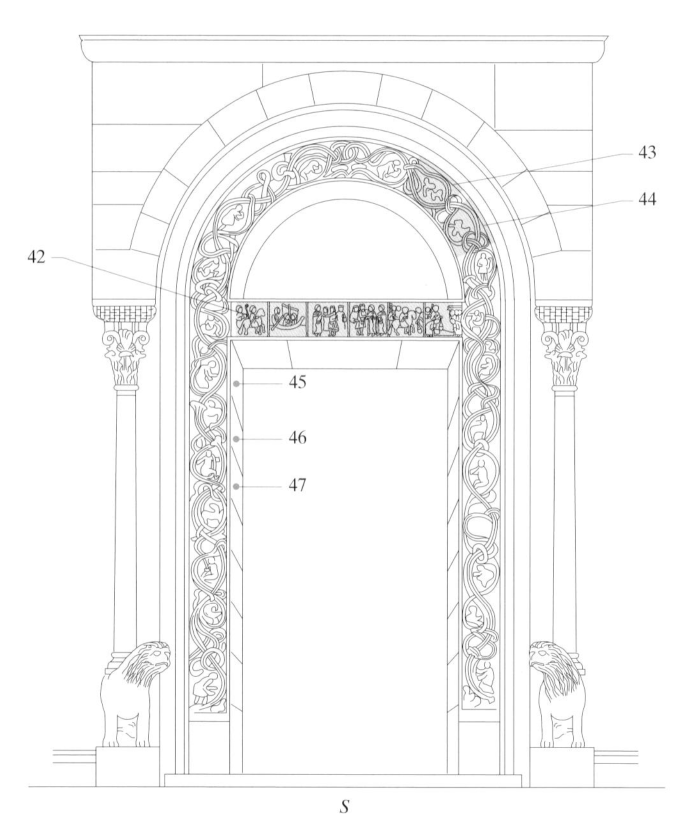

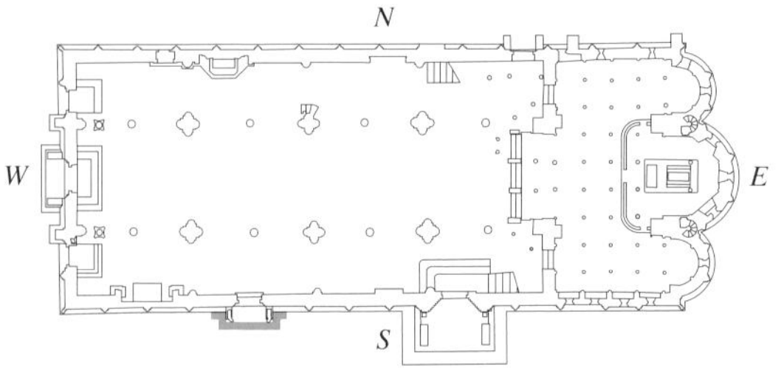

Fianco sud.
41 La Porta dei Principi.

South side.
41 The Doorway of the Princes.

42

43

44

Fianco sud.
Porta dei Principi.

42 *Storie di san Geminiano.*

43, 44 Particolari del tralcio abitato.

45 *L'apostolo Andrea.*
46 *L'apostolo Giovanni.*
47 *L'apostolo Bartolomeo.*
48 *San Giovanni Battista.*

South side.
Doorway of the Princes.

42 Episodes from the life of St Geminianus.

43, 44 Details of the inhabited foliage.

45 St Andrew the Apostle.
46 St John the Apostle.
47 St Bartholomew the Apostle.
48 St John the Baptist.

CAPITREGISCALICECVCODICELEGIS: DVREDITECTRASIBICVRRITCTIOCVNCTA·POSTREDITV FORTIS PSOLVITDEBITAMORTI

45

IN PRIN CIPIO ERAT
VER BVM ET VERBVM
46

BARTHOLOMEVS
47

IOHANNES·BAPTIS·TA
ECCE AGN DEI ECCE QVI TOL LIT PEC CATA MVNDI
48

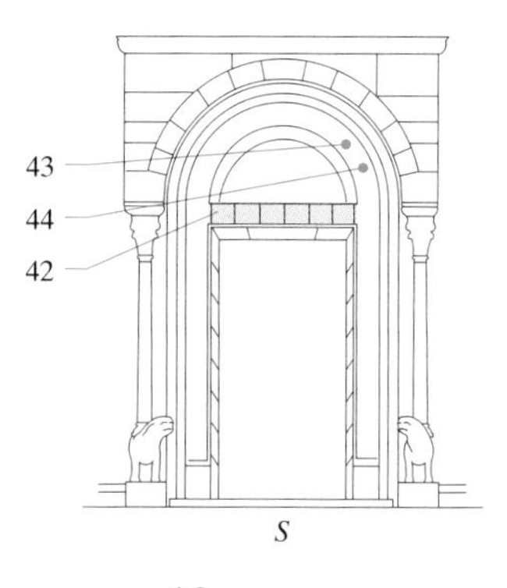
43
44
42
S

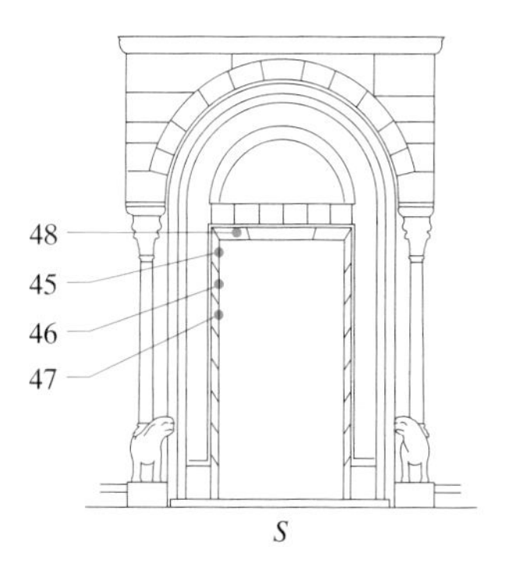
48
45
46
47
S

49

50

51

52

53

Fianco sud.

49-52 Capitelli.

53 *Il Veridico strappa la lingua alla Frode* e *Giacobbe lotta con l'Angelo.*

South side.

49-52 Capitals.

53 Truth tearing out the tongue of Fraud *and* Jacob wrestling with the Angel.

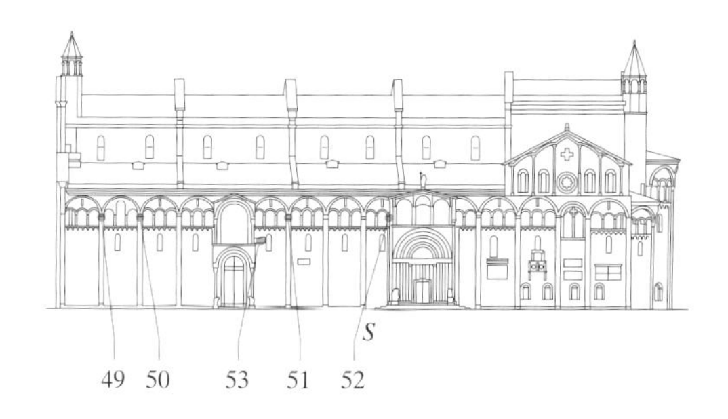

La Porta Regia

The "Porta Regia"

Uno degli interventi di maggior rilievo dei Maestri Campionesi nella cattedrale è costituito, agli inizi del XIII secolo, dalla Porta Regia. Rispetto alle altre porte del Duomo, minore è il peso delle decorazioni scultoree, maggiore l'imponenza architettonica: due grandi leoni che stringono la preda tra le zampe – motivo presente anche nel pontile interno – precedono il portale a strombo profondo e multiplo. Al di sopra, il protiro assume le dimensioni e la forma di una loggia monumentale.

One of the most important additions made to the Cathedral by the Campionese masters in the early 13th was the "Porta Regia". In comparison with the other minor doorways, it has less sculptural decoration and a greater architectural presence: two large lions savaging their prey – a motif also found on the 'pontile' inside – stand sentinel before the Doorway with its deep and mulptiple embrasure. The porch above assumes the form and dimensions of a monumental loggetta.

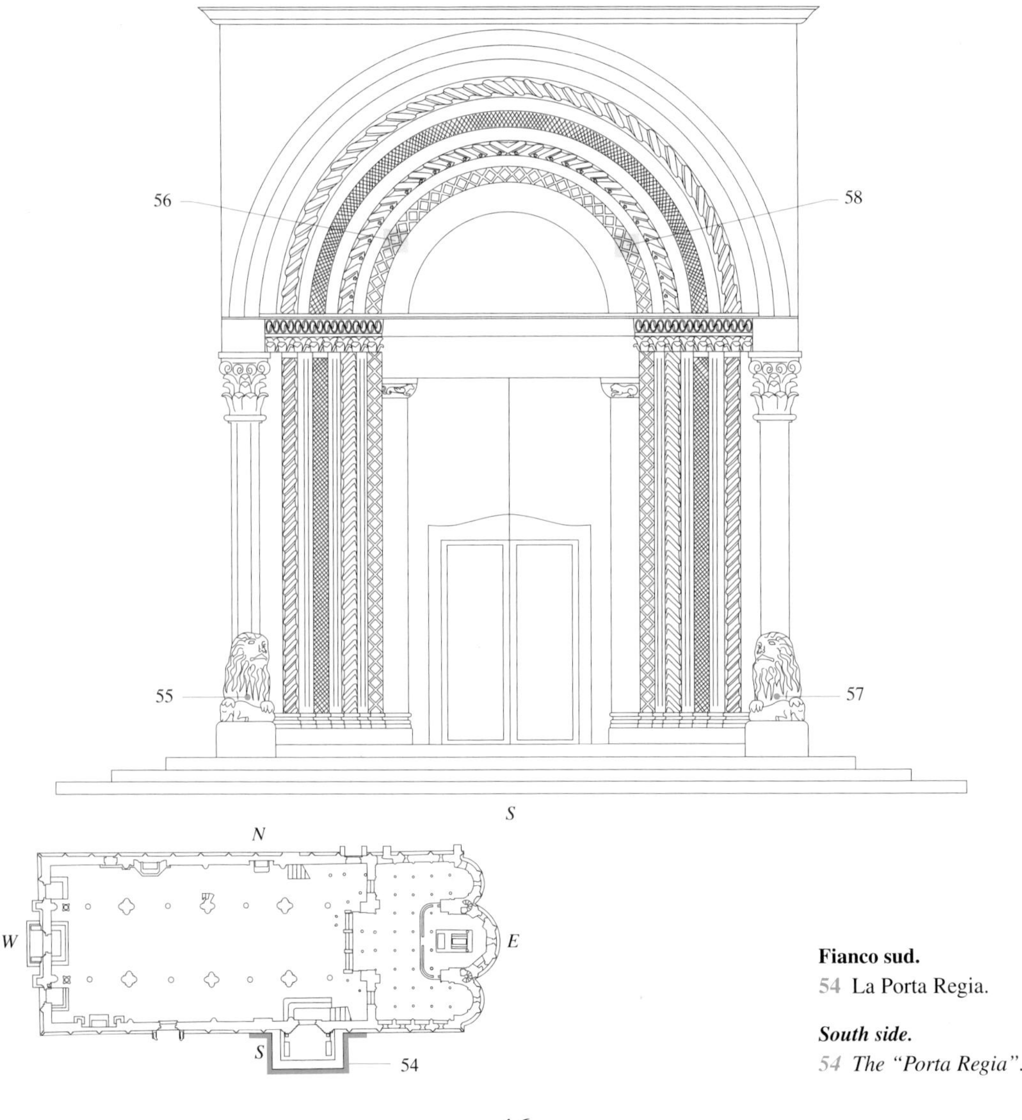

Fianco sud.
54 La Porta Regia.

South side.
54 The "Porta Regia".

54

55

56

57

58

Fianco sud.
Porta Regia.

55 Il leone di sinistra.
56, 58 Particolari della decorazione degli strombi.
57 Il leone di destra.

South side.
"Porta Regia".

55 The lion on the left.
56, 58 Details of the decoration of the embrasures.
57 The lion on the right.

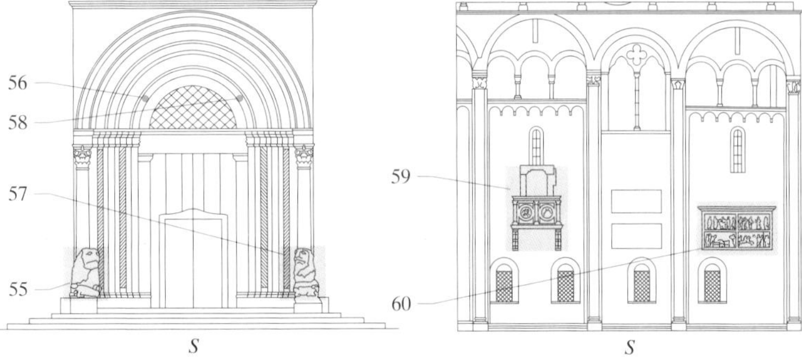

59

Fianco sud.

Giacomo da Ferrara (doc. 1481-1518) e Paolo di Giacomo (doc. 1483-1527).
59 Pulpito di piazza (1500-1501).

Agostino di Antonio di Duccio (1418 ca - *post* 1481).
60 *Quattro episodi della vita di san Geminiano* (1442).

South side.

Giacomo da Ferrara (doc. 1481-1518) and Paolo di Giacomo (doc. 1483-1527).
59 *Pulpit overlooking the piazza (1500-1501).*

Agostino di Antonio di Duccio (c. 1418 - post *1481).*
60 Four episodes from the life of St Geminianus *(1442).*

60

Le absidi

Il nuovo Duomo prese certamente inizio dalle absidi: è qui che l'architetto Lanfranco mise a punto, per poi estenderlo alle altre parti dell'edificio, il primo alzato, "uno dei più innovativi impaginati dell'architettura romanica" (A. Peroni). D'altra parte è proprio nell'abside maggiore che ancor oggi possiamo leggere l'epigrafe scritta dal canonico Aimone a celebrazione di Lanfranco, fatta incidere e apporre dal massaro Bozzalino sopra la finestra centrale della cripta.

The apses

The new Cathedral certainly began with the apses: it was from this end that the architect Lanfranc raised the first structure, "one of the most innovative in Romanesque architecture" (A. Peroni), later to be extended to the other parts of the building. And it is on the central apse that we can read today the epigraph written by the canon Aimone in praise of Lanfranc, which was cut and installed by the "massaro" Bozzalino above the central window of the crypt.

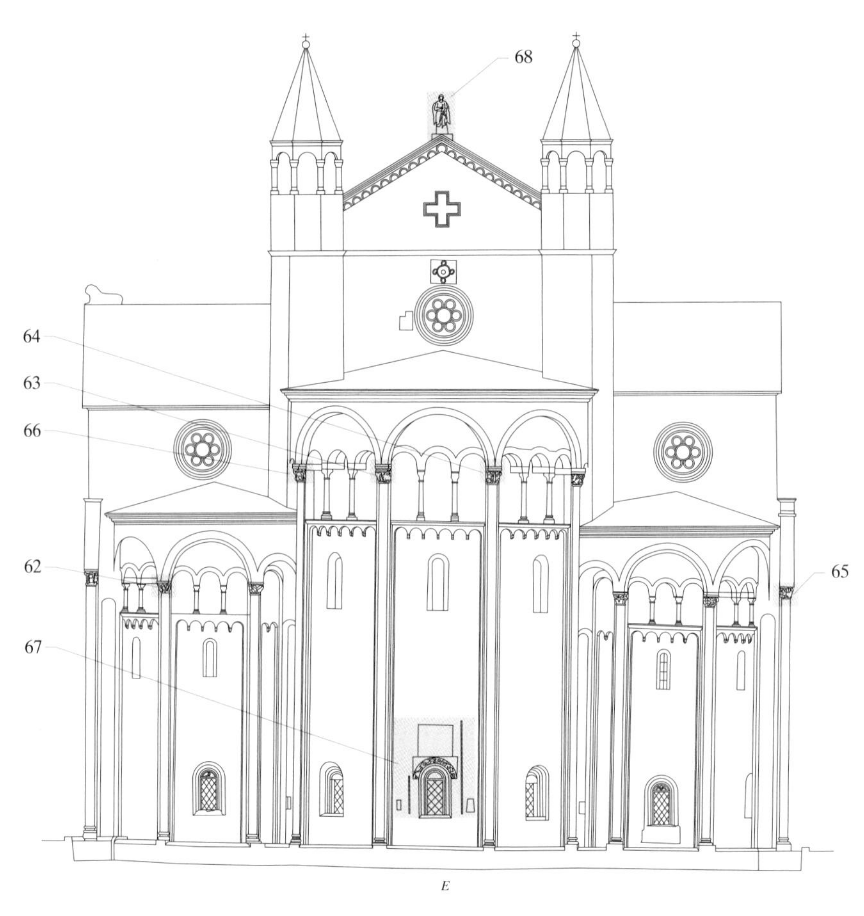

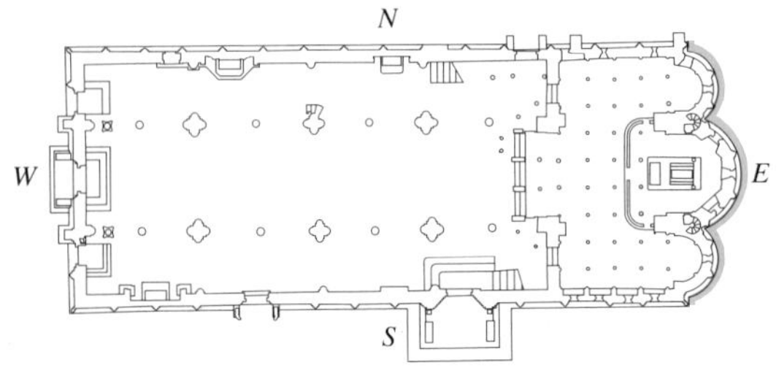

61 Le absidi dalla Piazza Grande.
61 The apses from the Piazza Grande.

62

63

64

65

Absidi.
62-66 Capitelli.

Apses.
62-66 Capitals.

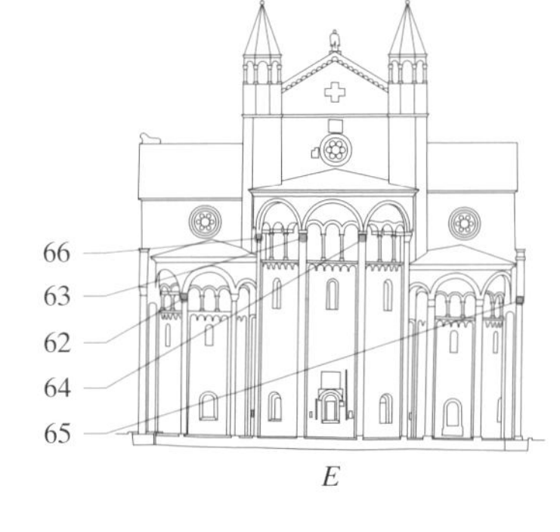

67

Abside.

67 Finestra della cripta, iscrizione dell'architetto Lanfranco e antiche misure del Comune di Modena.

68 L'arcangelo Gabriele.

Apse.

67 Crypt window, inscription about the architect Lanfranc, and old official measures of the Comune of Modena.

68 The archangel Gabriel.

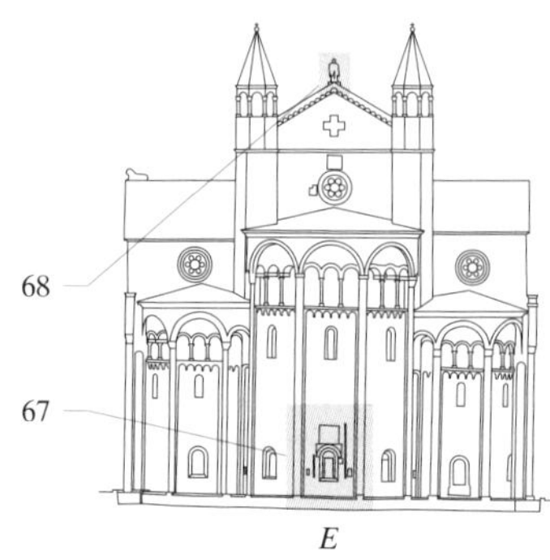

Il fianco nord

Il fianco settentrionale, cui si accosta la torre Ghirlandina, è quello maggiormente interessato dai lavori di restauro svoltisi tra fine Ottocento e inizi Novecento e diretti all'isolamento del Duomo. La maggiore emergenza è la Porta della Pescheria, appartenente alla prima fase della cattedrale, agli inizi dunque del XII secolo.

The north side

The north side of the Cathedral, flanked by the Ghirlandina tower, was the one most affected by restoration carried out in the late 19th and early 20th centuries. The main feature of the north side is the "Pescheria" Doorway, part of the earliest building, dating from the early 12th century.

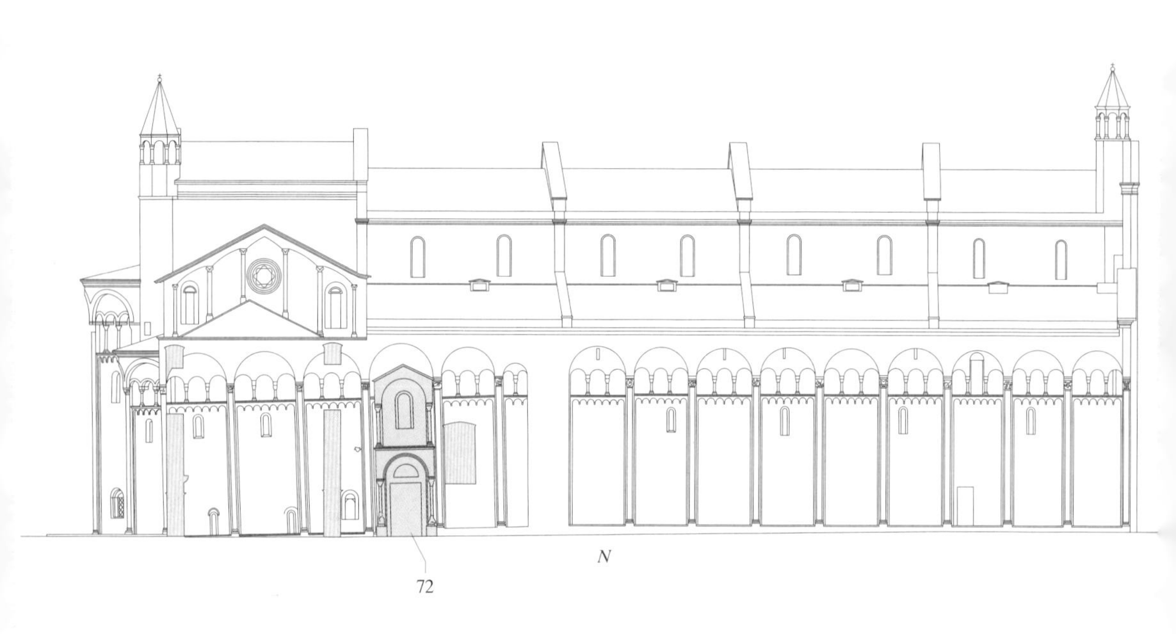

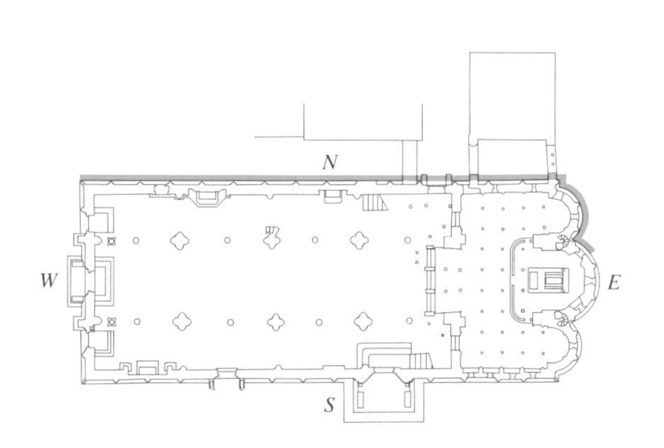

69

69 Le absidi e il fianco nord.

69 The apses and the north side.

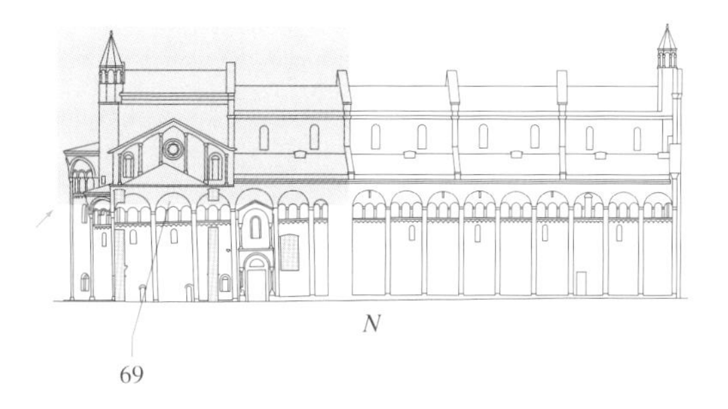

70

70 L'arco tra il Duomo e la Ghirlandina.

70 The arc between the Cathedral and the Ghirlandina tower.

Fianco nord.

71 La Porta della Pescheria.

North side.

71 The "Pescheria" Doorway.

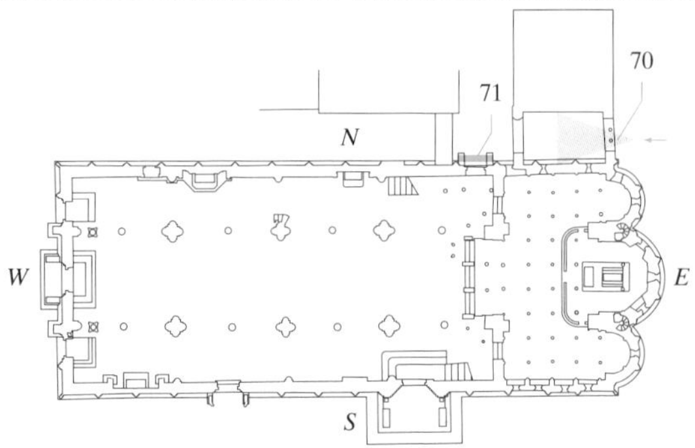

71

La Porta della Pescheria

The "Pescheria" Doorway

La Porta della Pescheria appartiene alla prima fase costruttiva del Duomo. Gli stipiti esterni riprendono il motivo, già presente sul portale maggiore della facciata, dei telamoni che sostengono il tralcio abitato; all'interno gli stipiti mostrano un tema molto frequente in età medioevale, quello dei lavori dei mesi; l'architrave ospita poi favole tratte dai bestiari. Ma il punto più rilevante del portale è senza dubbio l'archivolto, che presenta una delle più antiche attestazioni del ciclo bretone.

The "Pescheria" Doorway belongs to the first phase of the construction. The external jambs repeat the motif, already found on the Principal Doorway in the façade, of telamons supporting inhabited vines; the internal jambs are decorated with a common subject in mediaeval art, the labours of the months; the architrave has fables derived from the bestiaries. But the most important element is undoubtedly the archivolt, carved with one of the earliest representations of scenes from the Arthurian cycle.

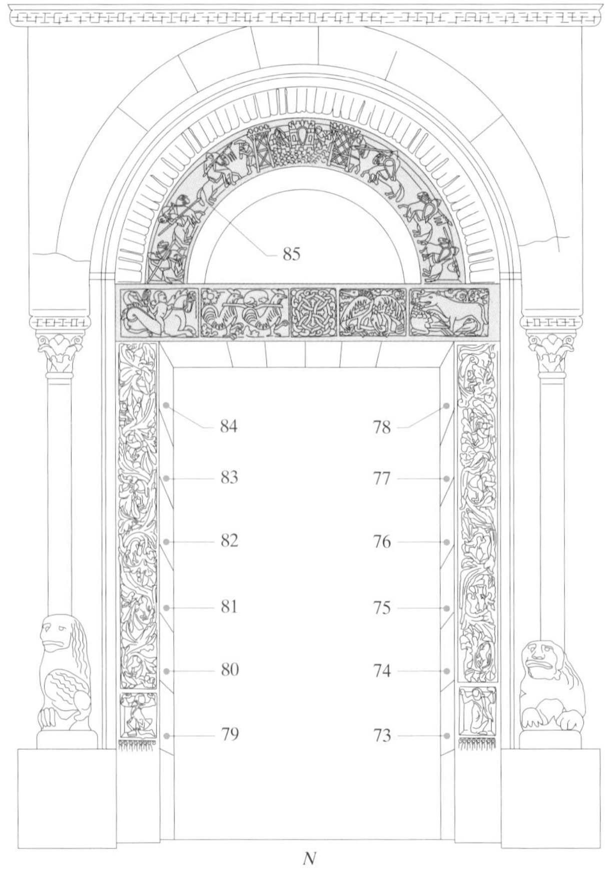

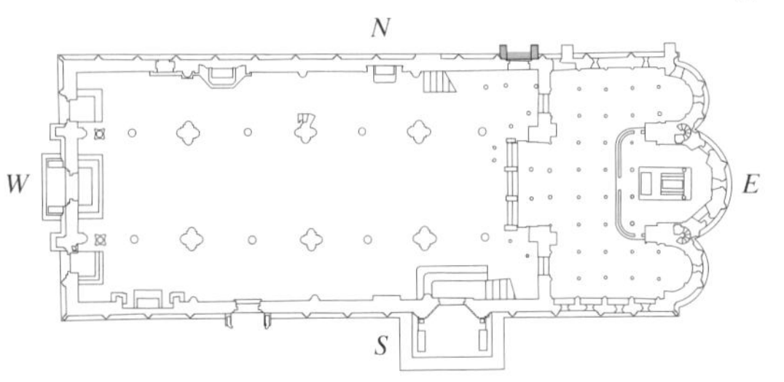

Fianco nord.
72 La Porta della Pescheria.

North side.
72 The "Pescheria" Doorway.

72

73

74

75

76

77

78

Fianco nord.
Porta della Pescheria.

73 Il mese di *Gennaio*.
74 Il mese di *Febbraio*.
75 Il mese di *Marzo*.
76 Il mese di *Aprile*.
77 Il mese di *Maggio*.
78 Il mese di *Giugno*.

North side.
"Pescheria" Doorway.

73 *The month of* January.
74 *The month of* February.
75 *The month of* March.
76 *The month of* April.
77 *The month of* May.
78 *The month of* June.

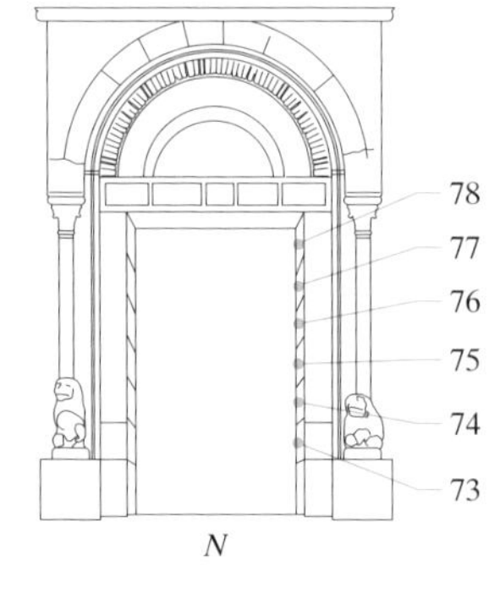

79

80

81

82

83

84

79 Il mese di *Luglio*.
80 Il mese di *Agosto*.
81 Il mese di *Settembre*.
82 Il mese di *Ottobre*.
83 Il mese di *Novembre*.
84 Il mese di *Dicembre*.

79 *The month of* July.
80 *The month of* August.
81 *The month of* September.
82 *The month of* October.
83 *The month of* November.
84 *The month of* December.

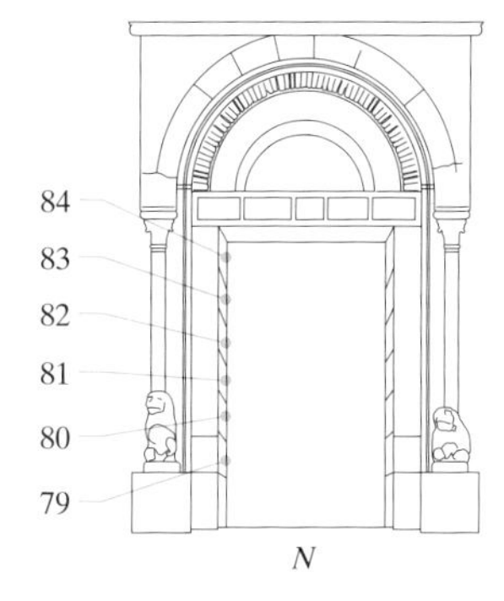

85

Fianco nord.
Porta della Pescheria.
85 Architrave e archivolto.

North side.
"Pescheria" Doorway.
85 Architrave and archivolt.

MARDOC
CARRADO

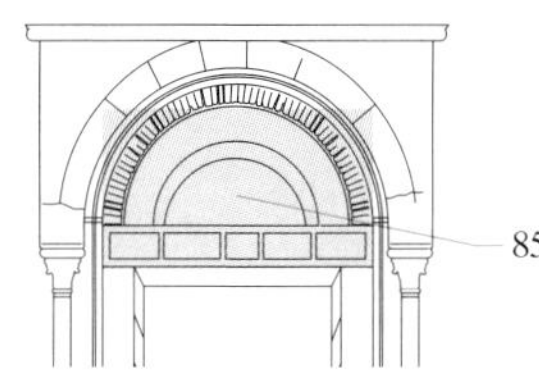
85

L'interno

L'interno è diviso in tre navate, chiuse a est dal presbiterio sopraelevato e dalla cripta. Sul pilastro di sinistra tra la seconda e la terza campata poggia il pulpito, mentre davanti al presbiterio, sopra l'ingresso alla cripta, è collocato il magnifico pontile dei Maestri Campionesi. Lungo le pareti e sulla controfacciata si trovano dipinti, sculture, lapidi commemorative e monumenti funerari.

The interior

The interior is divided into a nave and aisles, and concludes at the east end with the raised presbytery and the crypt. The pulpit stands on the pier between the second and third bay on the left. In front of the presbytery and above the entrance to the crypt is the magnificent "pontile" by the Campionese Masters. On the walls of the aisles and counter-façade there are paintings, sculptures, inscriptions and funerary monuments.

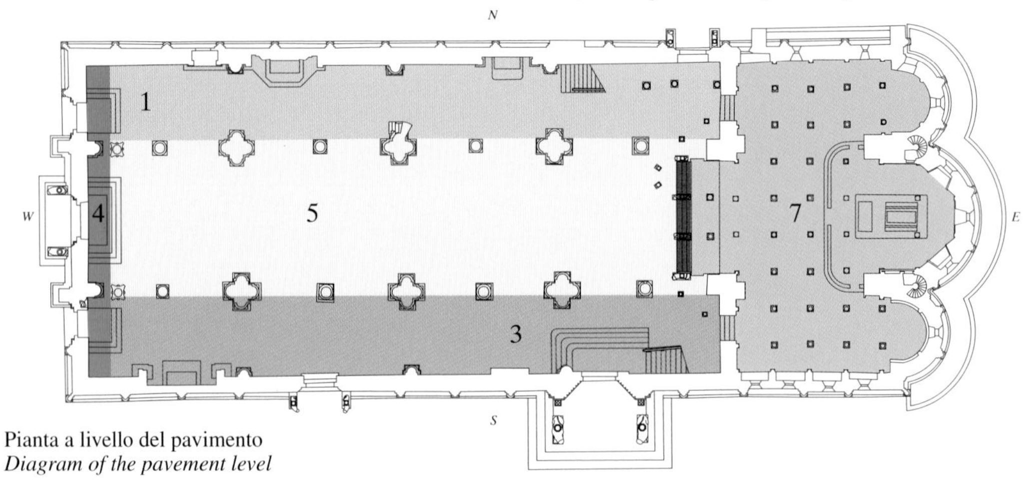

Pianta a livello del pavimento
Diagram of the pavement level

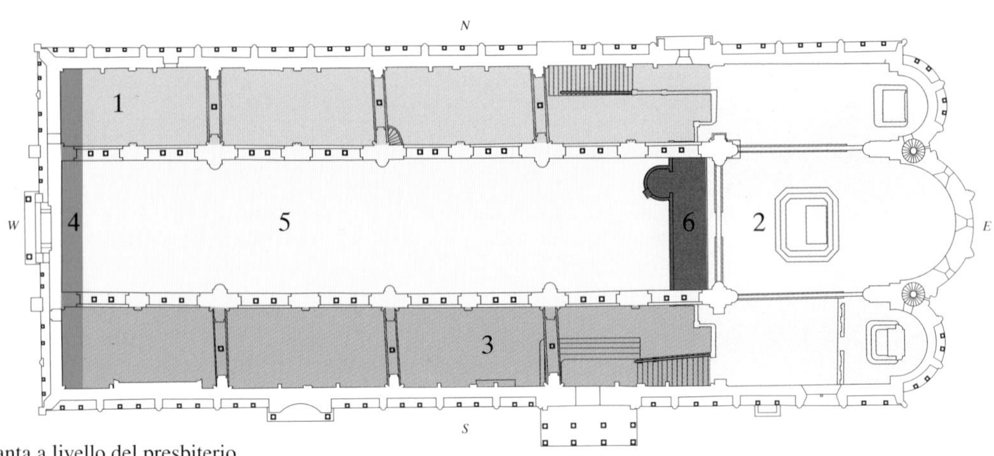

Pianta a livello del presbiterio
Diagram of the presbytery level

1 Navata settentrionale
North aisle

2 Presbiterio e coro
Presbitery and Choir

3 Navata meridionale
South aisle

4 Controfacciata
Counter-façade

5 Navata centrale
Nave

6 Ambone e Pontile
Ambo and "pontile"

7 Cripta
Crypt

86 L'interno da ovest.

86 The interior from the west.

87

Interno.

87 La navata centrale e la controfacciata dall'uscita della cripta.

Interior.

87 The nave and the counter-façade seen from the exit of the crypt.

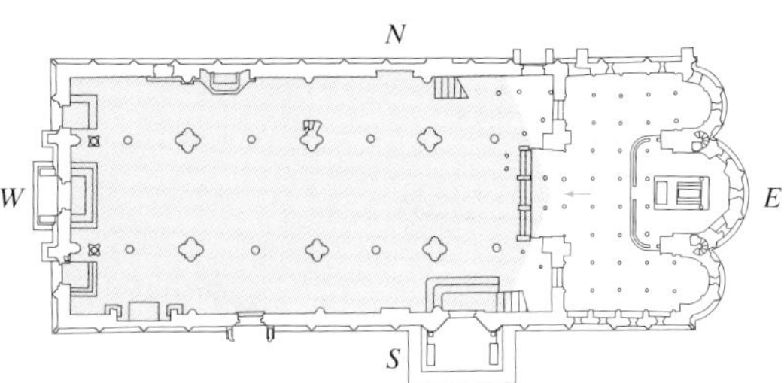
N
W
E
S

89

90

Interno. Navata settentrionale.

Michele di Niccolò Dini,
detto Michele dello Scalcagna
o Michele da Firenze
(attivo 1403-1443 ca).
88 Polittico detto *Altare delle Statuine* (1440-1441).
89 *Madonna col Bambino.*
90 *La Crocifissione.*

Interior. North aisle.

*Michele di Niccolò Dini,
known as Michele dello Scalcagna
or Michele da Firenze
(active ca. 1403-1443).*
88 Polyptych known as the Altar of the Statuettes *(1440-1441).*
89 Madonna and Child.
90 The Crucifixion.

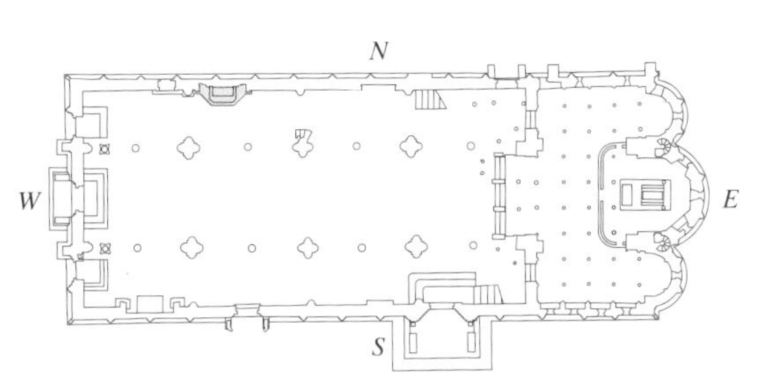

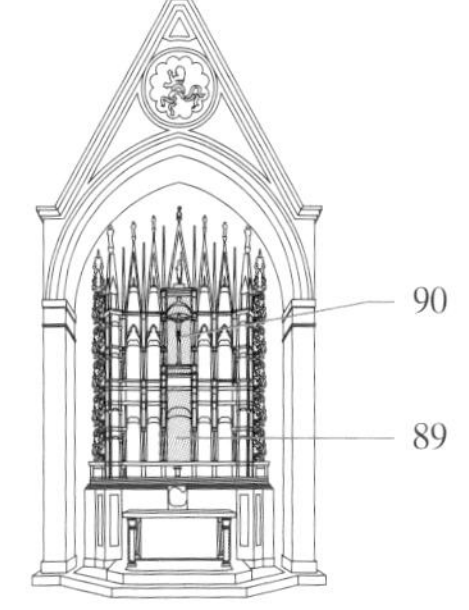

91

92

Interno. Navata settentrionale.

Dosso Dossi (1486?-1542).
91 *Madonna col Bambino e santi (Pala di san Sebastiano)* (1518-1521).

Gianantonio da Mantova e Simone da Rodigo (doc. 1541), su disegno di Giulio Romano.
92 Monumento funerario di Claudio Rangoni (1542 ca).

Interior. North aisle.

Dosso Dossi (1486?-1542).
91 Madonna and Child with Saints (Altarpiece of St Sebastian) *(1518-1521).*

Gianantonio da Mantova and Simone da Rodigo (doc. 1541), to a design by Giulio Romano.
92 Funerary monument to Claudio Rangoni (ca. 1542).

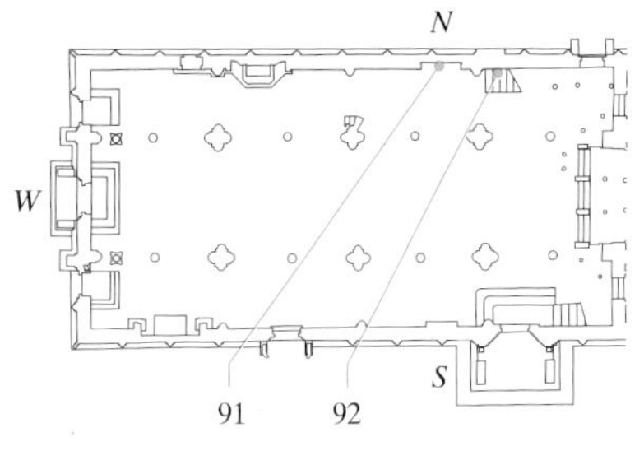

Interno.
Presbiterio.

Agostino di Duccio
(1418 ca - *post* 1481).
93 *San Geminiano salva un fanciullo* (1442 ca).

Cristoforo Canozi detto
da Lendinara (doc. 1449-1490).
94-97 *Gli Evangelisti Marco, Giovanni, Matteo e Luca,* tarsie lignee (1477).

Interior.
Presbytery.

Agostino di Duccio
*(ca. 1418-*post *1481).*
93 St Geminianus saves a child *(ca. 1442).*

Cristoforo Canozi known as
da Lendinara (doc. 1449-1490).
94-97 The Evangelists Mark, John, Matthew and Luke, *wooden intarsia (1477).*

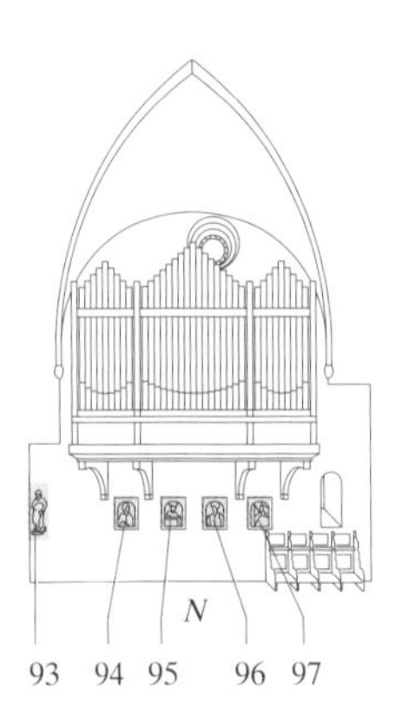

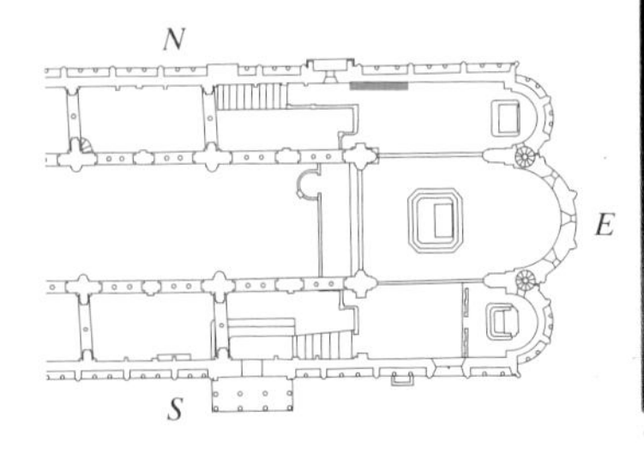

93

94

95

96

97

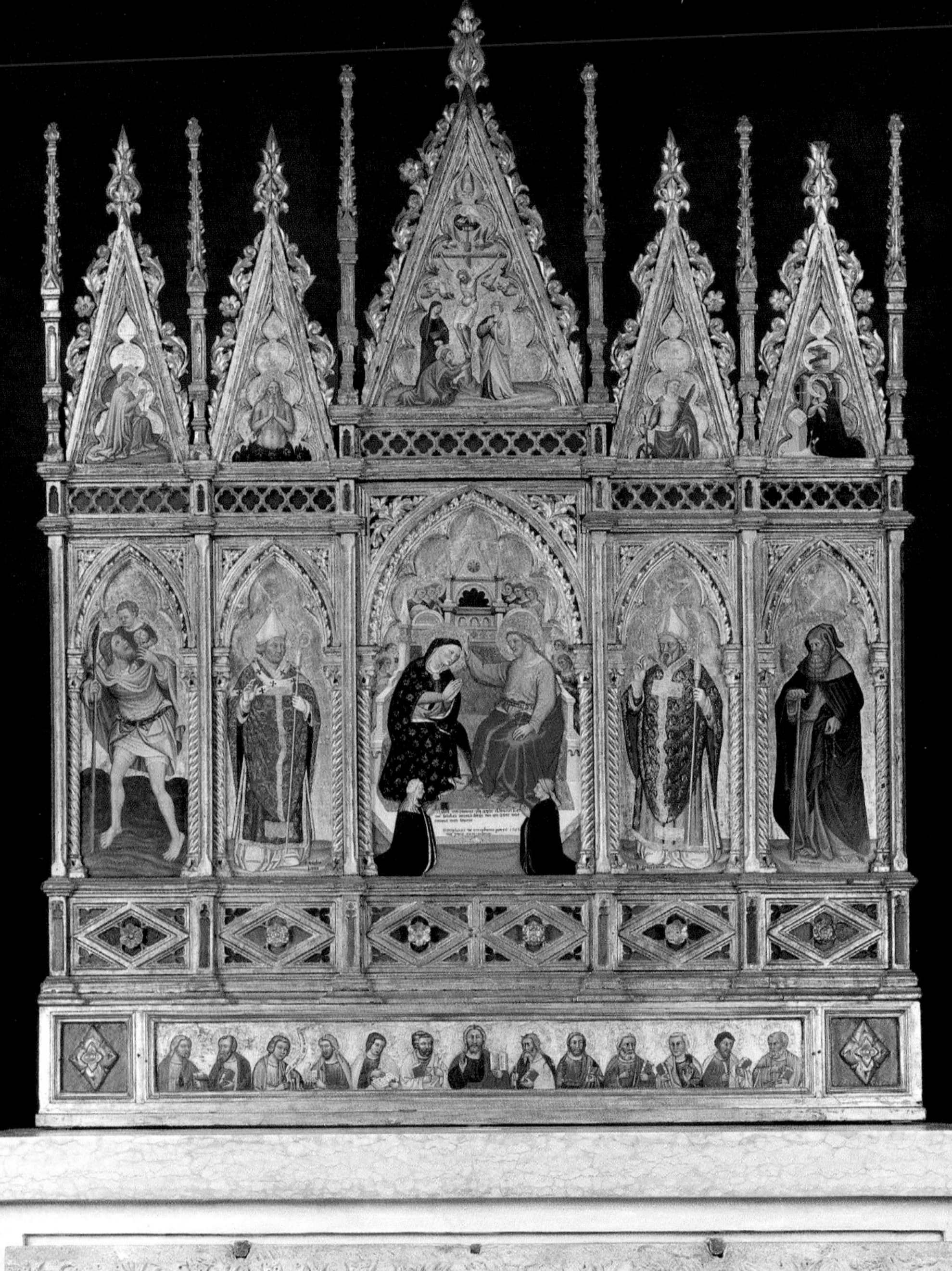

99

Interno. Abside nord.

Serafino de' Serafini
(doc. 1349-1393).

98 a Polittico con *L'Incoronazione della Vergine, la Crocifissione e santi* (1385).

98 b Lastra con la croce e animali affrontati (sec. IX).

Presbiterio.

Scultore della seconda metà del sec. XIII.

99 *Crocifisso* (1270-1300).

Interior. North apse.

Serafino de' Serafini
(doc. 1349-1393).

98 a Polyptych with The Coronation of the Virgin, the Crucifixion and Saints *(1385).*

98 b Slab with Cross and affrontant animals (9th century).

Presbytery.

Sculptor of the later 13th century.

99 Crucifix *(1270-1300).*

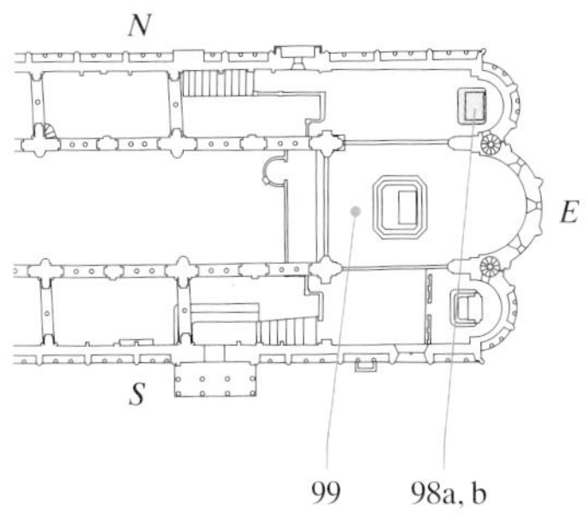

100

Interno.
Abside maggiore.

Cristoforo (doc. 1449-1490)
e Lorenzo (doc. 1449-1477)
Canozi, detti da Lendinara.
100 Coro ligneo intarsiato
(1461-1465).

Interior.
Central apse.

Cristoforo (doc. 1449-1490)
and Lorenzo (doc. 1449-1477)
Canozi, known as da Lendinara.
100 Wooden intarsia choir
(1461-1465).

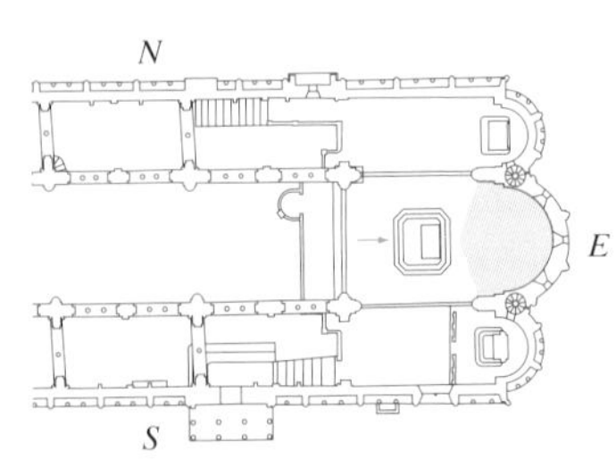

S. IOHANES

102

Interno. Navata meridionale.

101 La quarta campata da ovest con la Porta Regia.

Bartolomeo Spani (1468-1539).
102 Monumento funerario di Francesco Maria Molza (1516).

Interior. South aisle.

101 The fourth bay from the west with the "Porta Regia".

Bartolomeo Spani (1468-1539).
102 Funerary monument to Francesco Maria Molza (1516).

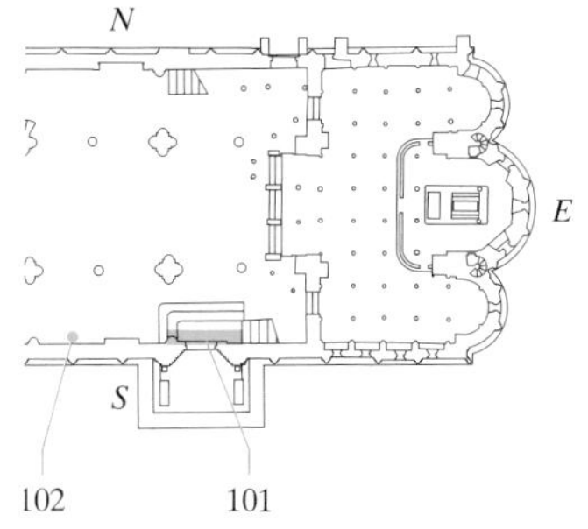

BECARELLIANVM OPVS AB ARA S SEBASTIA
TRANSLATVM A MDCCCXCIX

103

104

105

106

Interno.
Navata meridionale.

Antonio Begarelli (1499 ca-1565).
103-106 *Presepe*, terracotta (1527).

Interior.
South aisle.

Antonio Begarelli (ca. 1499-1565).
103-106 Nativity of Christ, *terracotta (1527).*

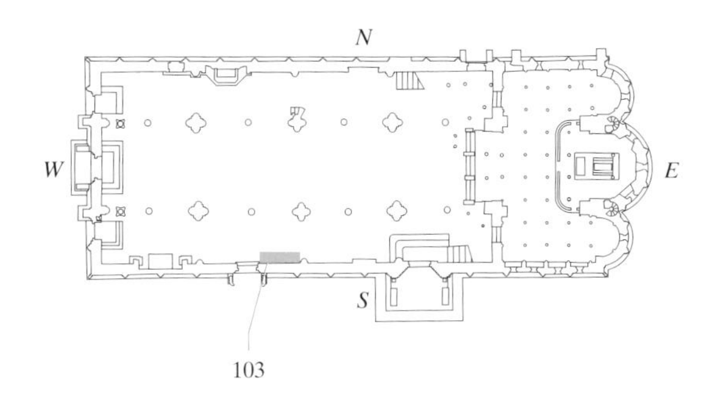

108

Interno. Navata meridionale.

Cristoforo Canozi, detto da Lendinara (doc. 1449-1490), attribuito.
107 Affreschi della Cappella Bellincini (1472 ca-1476).
108 *Madonna col Bambino.*

Interior. South aisle.

Cristoforo Canozi, known as da Lendinara (doc. 1449-1490), attributed.
107 Frescoes in the Bellincini Chapel (ca. 1472-1476).
108 Madonna and Child.

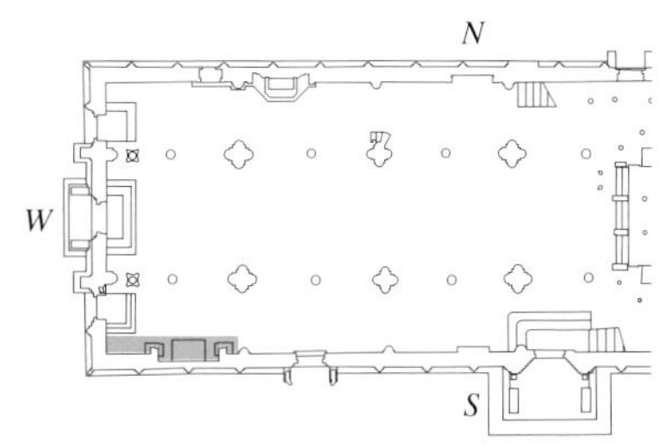

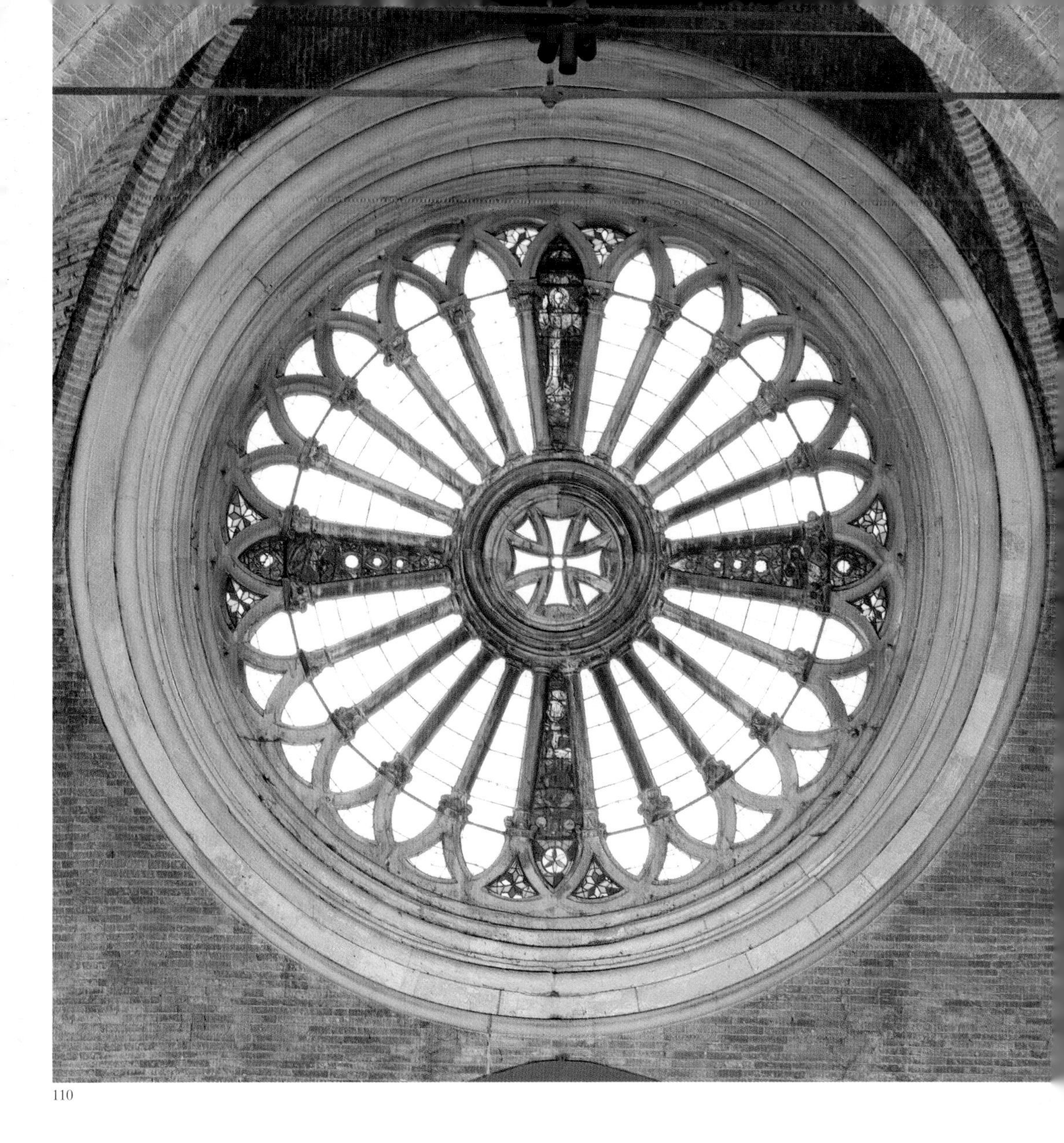

110

Interno.

109 La controfacciata.
110 Il rosone campionese.

Interior.

109 The counter-façade.
110 The Campionese rose window.

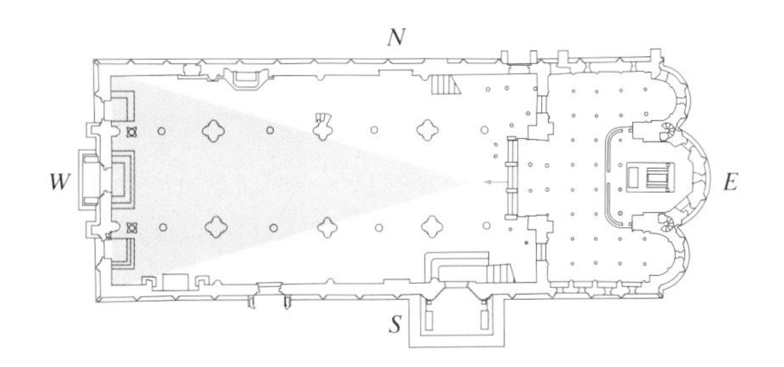

111

Interno.
Navata centrale.

Enrico da Campione (sec. XIV) e plasticatori dei secc. XV e XVII.
111 Pulpito.

112 Il pontile campionese e il presbiterio.

Interior.
Nave.

Enrico da Campione (14th century) and modellers of the 15th and 17th century.
111 Pulpit.

112 The Campionese "pontile" and the presbytery.

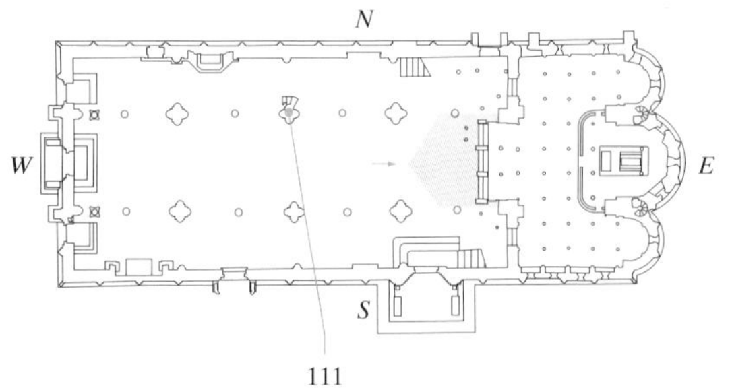

113

114

115

116

Interno.
Navata centrale.
113-119 Capitelli.

Interior.
Central nave.
113-119 Capitals.

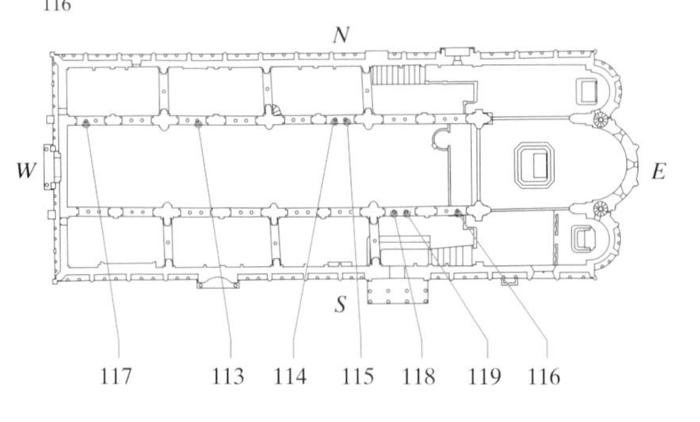

117

118

119

Il pontile campionese

Una delle maggiori imprese portate a termine dalle maestranze campionesi in duomo è sicuramente il pontile della fine del XII secolo, che si pone come snodo tra navata maggiore, presbiterio e cripta. Ricomposto agli inizi del Novecento, esso accoglie un cospicuo numero di sculture: i leoni stilofori, i telamoni, i capitelli fogliati o istoriati, le mensole, i bassorilievi dell'ambone e del parapetto superiore.

The Campionese "pontile"

One of the greatest undertakings completed by the Campionese Masters in the Cathedral is undoubtedly the "pontile" of the late 12th century, which acts as the nexus between nave, presbytery and crypt. Re-erected in the early 20h century, it carries a remarkable number of sculptures: column-bearing lions, telamons, foliated or historiated capitals, corbels, bas-reliefs on the ambo and on the upper parapet.

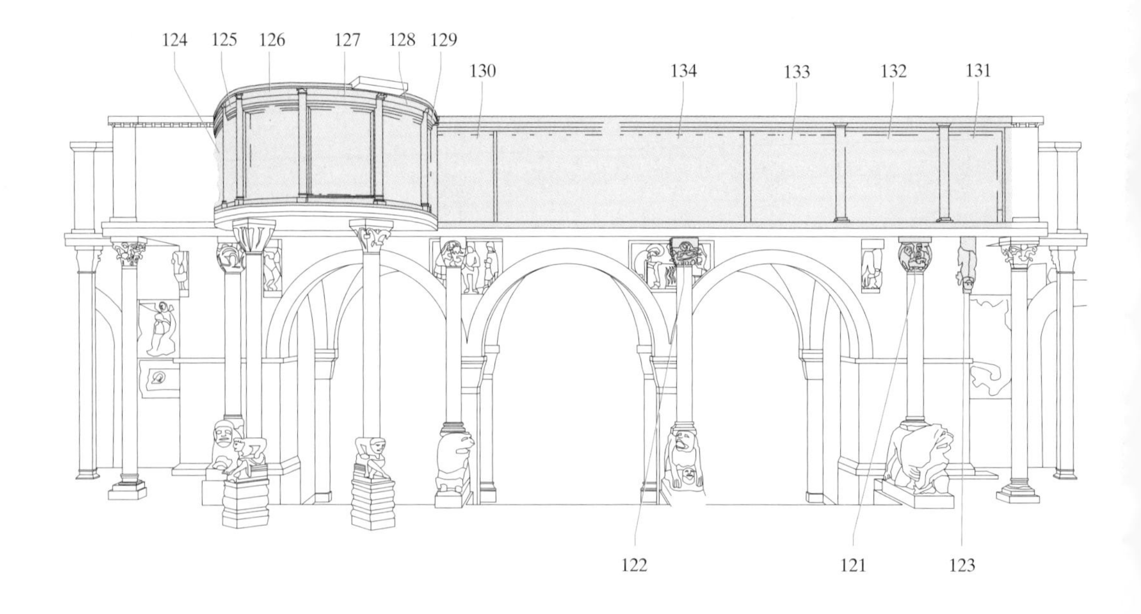

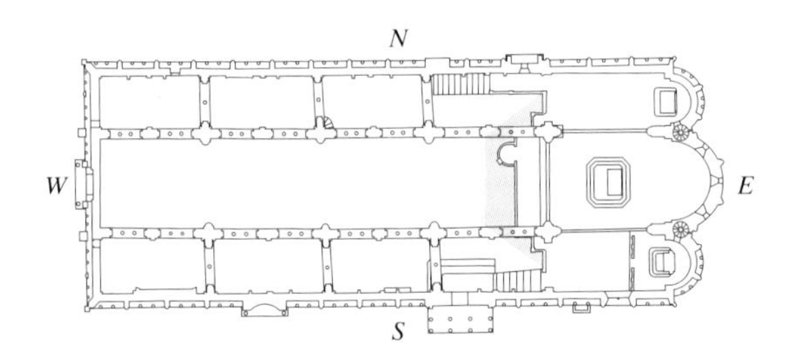

120

Interno.

120 L’ambone e il pontile campionese.

Interior.

120 The ambo and the Campionese “pontile”.

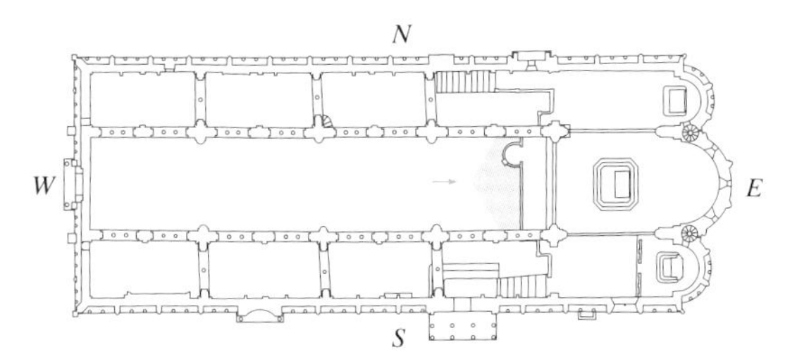

121

122

123

Interno.
Pontile.

121 Capitello con *Storie di Daniele e di Abacuc*.
122 Capitello con *Storie di san Lorenzo*.

Fronte dell'accesso alla cripta.

123 Mensola con *Acrobata* e *Sansone smascella il leone*.

Interior.
"Pontile".

121 *Capital with* Scenes of Daniel and Habacuc.
122 *Capital with* Scenes of St Laurence.

Entrance wall of the crypt.

123 *Corbel with* Acrobat *and* Samson breaking the lion's jaw.

124

125

126

127

Interno.
Ambone.

124 *San Girolamo e Sant'Ambrogio*; 125 *Sant'Agostino e San Gregorio*; 126 I simboli di san Marco e di san Matteo; 127 *Cristo in maestà*.

Interior.
Ambo.

124 St Jerome and St Ambrose; *125 St Augustine and St Gregory; 126 The symbols of St Mark and St Matthew; 127* Christ in Majesty.

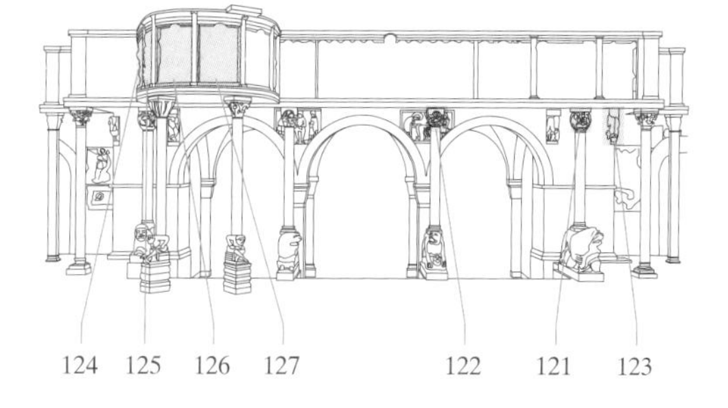

128

129

130

131

Interno.
Ambone.

128 I simboli di san Luca e di san Giovanni; 129 *Gesù desta san Pietro.*

Interior.
Ambo.

128 The symbols of St Luke and St John; *129* Jesus rouses St Peter.

Interno.
Pontile.

130 *La lavanda dei piedi*; 131 *Simone il Cireneo.*

Interior.
"Pontile".

130 The washing of the feet; *131* Simon of Cyrene.

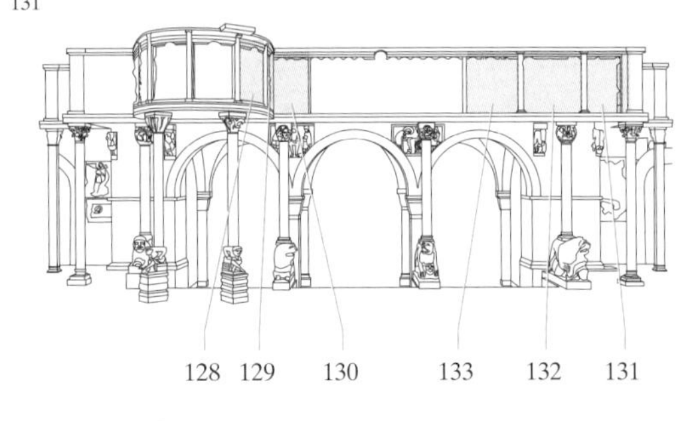

132

133

Interno.
Pontile.

132 *Cristo davanti a Pilato* e *Flagellazione*; 133 *Cattura di Cristo, Bacio di Giuda* e *Pietro taglia l'orecchio a Malco.*

Interior.
"Pontile".

132 Christ before Pilate, *and the* Scourging at the Pillar*; 133* The arrest of Christ, The kiss of Judas, *and* Peter cutting off the ear of Malchus.

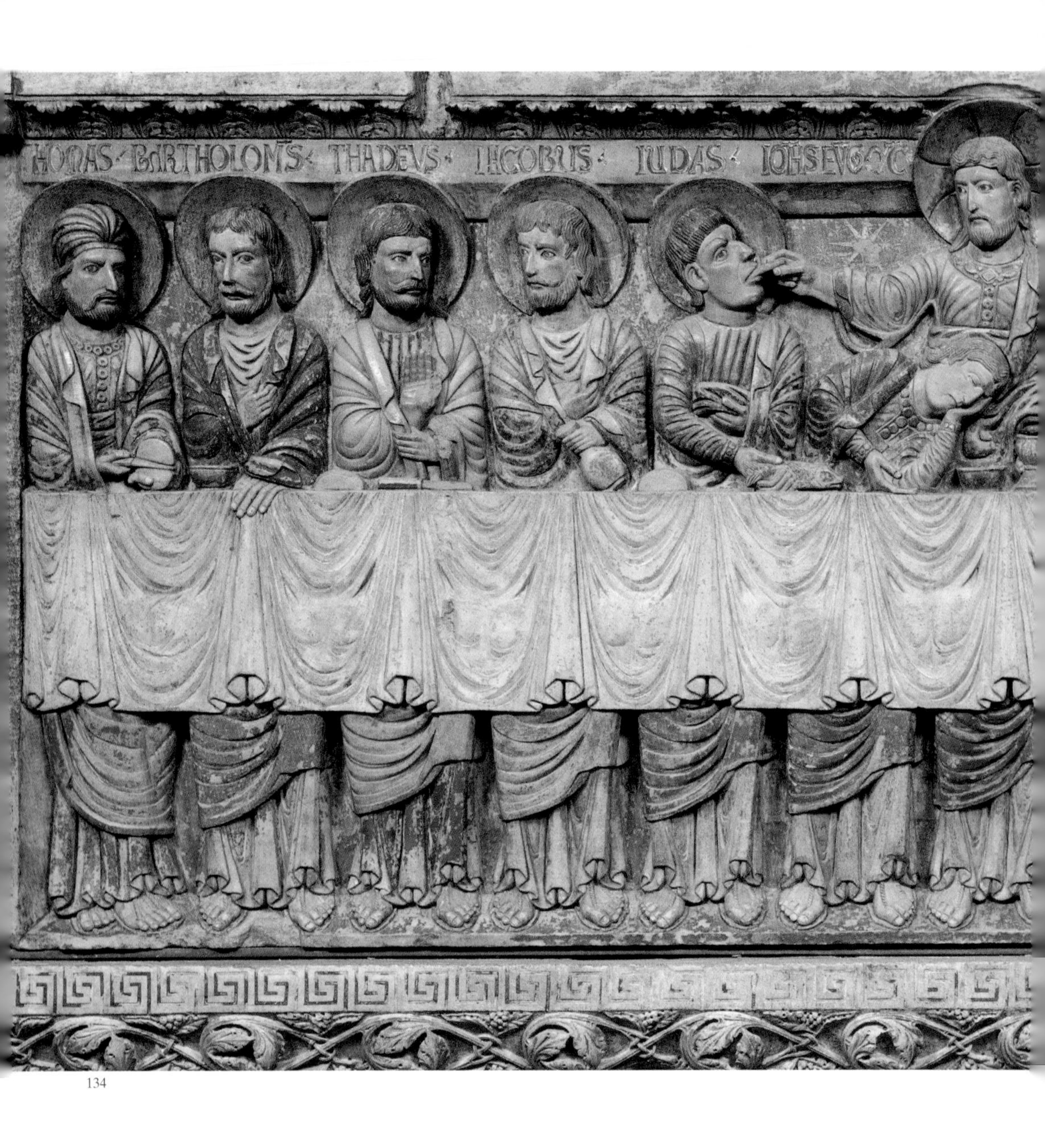

134

Interno.
Pontile.
134 *L'Ultima cena.*

Interior.
"Pontile".
134 The Last Supper.

ANDREAS
IACOBUS
PHILIPPVS
MATHEVS
SYMON

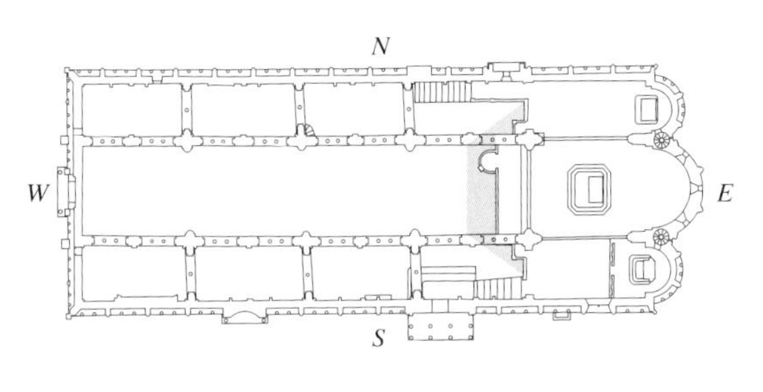
N
W
E
S

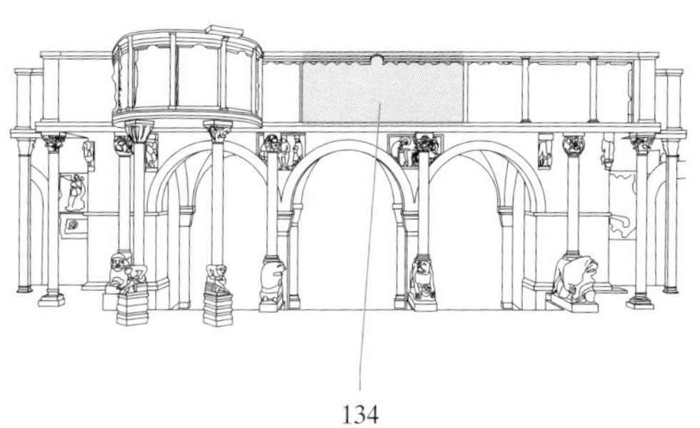
134

Interno.
Cripta.

135 L'abside centrale e il sepolcro di san Geminiano visti da sud-ovest.

Interior.
Crypt.

135 The central apse and the tomb of St Geminianus from the south-west.

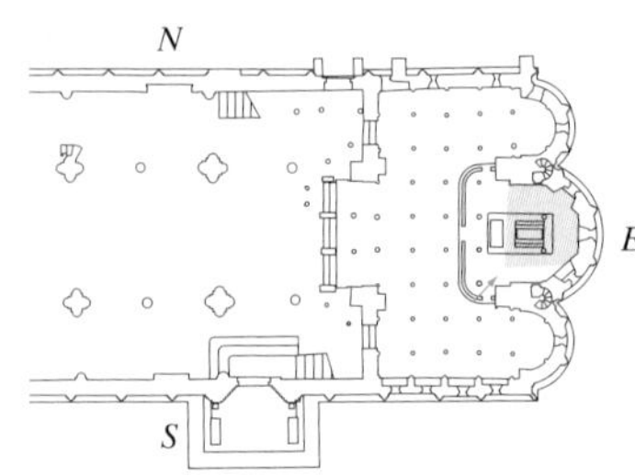

135

136

Interno. **Cripta.**	***Interior.*** ***Crypt.***
Guido Mazzoni (1450 ca-1518). 136 *Madonna col Bambino, san Giuseppe* (?), *sant'Anna* (?) *e una fantesca* (*Madonna della pappa*) (1480-1485 ca).	*Guido Mazzoni (ca. 1450-1518).* *136* Madonna and Child, St Joseph *(?),* St Anne *(?)* and a handmaid ("Madonna della pappa"*) (ca. 1480-1485).*

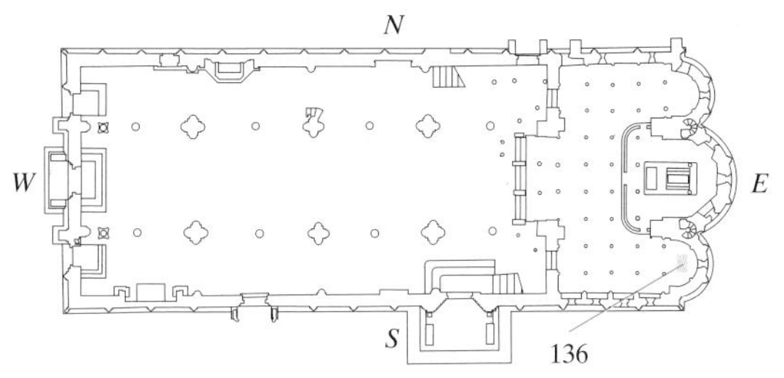
N
W
E
S
136

137

Interno.
Cripta.

Guido Mazzoni
(1450 ca-1518).
137 *Madonna col Bambino, san Giuseppe* (?), *sant'Anna* (?) *e una fantesca* (*Madonna della pappa*) (1480-1485 ca), particolare.

Interior.
Crypt.

Guido Mazzoni
(ca. 1450-1518).
137 Madonna and Child, St Joseph *(?)*, St Anne *(?)* and a handmaid ("Madonna della pappa") *(ca. 1480-1485)*, *detail.*

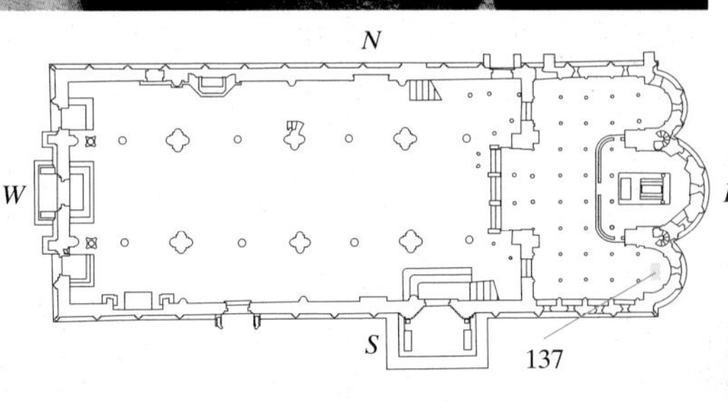

Il Duomo di Modena

The Cathedral of Modena

Schede

Entries

1

Veduta aerea del centro storico di Modena da sud.

Collocato al margine occidentale dell'antica "Mutina" romana, la cui pianta regolare si intuisce nell'area orientale del centro storico, il Duomo, con l'attigua Piazza Grande, è divenuto col tempo il vero fulcro visivo di Modena, che nel Basso Medioevo prese a svilupparsi a raggiera attorno a esso seguendo l'andamento delle numerose vie d'acqua un tempo presenti in città. In alto, alla base della cosiddetta "Addizione Erculea", si scorge la mole imponente del Palazzo Ducale.

Aerial view of the historic centre of Modena from the south.

Located at the western end of the Roman town of "Mutina", whose regular plan can be discerned in the area to the east of the historic centre, the Cathedral, with its adjacent Piazza Grande, has become the true visual centre of Modena. In the earlier Middle Ages the city developed outwards from it, following the paths of the numerous water courses at that time present in the area. At the top of the picture, below the so-called "Addizione Erculea", we see the imposing mass of the Ducal Palace.

2

Veduta aerea del Duomo, della Ghirlandina e di Piazza Grande, da ovest.

Alla fine dell'Ottocento, essendo ancora addossati al Duomo vari corpi di fabbrica, furono elaborati alcuni progetti per isolarlo completamente. Vennero però mantenute le quinte architettoniche prospicienti il sagrato, mentre i fianchi furono liberati da palazzi e botteghe preservando solo i due archi gotici del lato nord, posti sull'attuale via Lanfranco. In alto, sul lato est di Piazza Grande, si nota il Palazzo Comunale con la Torre dell'Orologio.

Aerial view of the Cathedral, the Ghirlandina and Piazza Grande, from the west.

In the late 19th century, when there were still various ramshackle buildings backing onto the Cathedral, a number of plans were devised to isolate it completely. It was decided to preserve those structures overlooking the area in front of the façade, whereas the sides were freed of houses and shops, leaving only the two gothic arches spanning the present Via Lanfranco. At the top of the picture, to the east of Piazza Grande, we see the Palazzo Comunale with its clock-tower.

3

La facciata.

Scandita in tre sezioni perfettamente proporzionate, la facciata segna l'affermarsi della partitura scultorea di Wiligelmo sul progetto iniziale elaborato dall'architetto Lanfranco. Numerose furono anche le trasformazioni apportate oltre un secolo dopo dai Maestri Campionesi, i quali aprirono le due porte laterali e aggiunsero il grande rosone. In tempi recenti, l'intervento più rilevante è stata l'aggiunta delle due edicole sommitali, ripristinate nel 1936 in luogo di quelle crollate nel terremoto del 1671.

The façade

Divided into three perfectly proportioned sections, the façade exhibits the impact of Wiligelmus's sculptural scheme on the architectural plans devised by Lanfranc. Many changes were introduced in the following century by the Campionese Masters, who added the two lateral doorways and the rose window. In recent times the most important alteration has been the addition of the two aedicules at the summit, which were set up in 1936 to replace the ones that collapsed in the earthquake of 1671.

4-13

Facciata. Wiligelmo.
Lastre con storie del Genesi.

La fascia di rilievi posti a diverse altezze sulla facciata del Duomo, raffigurante scene bibliche tratte dal Genesi, è il testo più celebre e indiscusso del corpus scultoreo di Wiligelmo. La collocazione attuale su livelli sfalsati è dovuta a un rimaneggiamento operato in epoca posteriore dai Maestri Campionesi per aprire le due porte laterali.

Façade. Wiligelmus.
Panels with episodes from Genesis.

The reliefs placed at different heights on the façade of the Cathedral, showing scenes from the Book of Genesis, are the most celebrated and soundly attributed of Wiligelmus's sculptures. Their present arrangement (at different heights) is due to the Campionese Masters, who at a later date made the two lateral doorways.

Facciata.
Wiligelmo.
Prima lastra con storie del Genesi.
L'Eterno in mandorla e la creazione d'Adamo. La creazione di Eva. Il Peccato Originale.

Nel primo rilievo marmoreo, posto sopra l'entrata di sinistra, all'effigie dell'Eterno Padre, chiusa in una mandorla sorretta da angeli, fa seguito la creazione di Adamo, il quale crolla subito addormentato mentre Dio crea Eva e questa porge fiduciosa la mano al suo Creatore. I due progenitori, coprendosi con la foglia di fico, si accostano poi all'albero a cui si attorce il serpente, ed Eva offre ad Adamo il frutto proibito.

Façade.
Wiligelmus.
First panel with scenes from Genesis.
God the Father in a mandorla, and the creation of Adam. The creation of Eve. Original sin.

In the first marble relief, placed above the left doorway, we see God the Father inside a mandorla supported by angels, then the creation of Adam. Next Adam is shown sleeping, while God creates Eve; she extends a trusting hand towards her Creator. Lastly the human pair, wearing fig-leaves, stand beside the Tree, around which twists the serpent. Eve offers the forbidden fruit to Adam.

4, 8

Facciata.
Wiligelmo.
Seconda lastra con storie del Genesi.
L'Eterno rimprovera Adamo ed Eva. La cacciata dei Progenitori. Adamo ed Eva zappano la terra.

Il peccato e il castigo sono il tema della seconda lastra, posta a sinistra del Portale Maggiore e alquanto più deteriorata. Chiamati a rispondere del peccato davanti a Dio, i progenitori portano la mano al volto in segno di disperazione, poi vengono cacciati dall'angelo con la spada sguainata e infine appaiono intenti alla dura fatica dei campi in un'immagine alquanto inconsueta, e forse unica, nell'iconografia medioevale del Genesi.

Façade.
Wiligelmus.
Second panel with scenes from Genesis.
God the Father reproaches Adam and Eve. The expulsion from Paradise. Adam and Eve dig the earth.

Sin and punishment are the subject of this second panel, placed to the left of the Principal Doorway and somewhat deteriorated. Questioned by God about their sin, Adam and Eve raise one hand to their face in token of despair; they are driven out of Eden by the sword-wielding angel; they are then shown labouring in the fields in an unusual, and possibly unique, subject in medieval Genesis iconography.

5, 9, 10

Facciata.
Wiligelmo.
Terza lastra con storie del Genesi.
Il sacrificio di Caino e Abele. Caino uccide Abele. L'Eterno rimprovera Caino.

A destra del Portale Maggiore la terza lastra mostra Caino e Abele che offrono sacrifici a Dio, poi Caino che uccide il fratello e la condanna di Dio che leva sul fratricida il gesto della sua maledizione.

Façade.
Wiligelmus.
Third panel with scenes from Genesis.
The sacrifice of Cain and Abel. Cain kills Abel. God the Father reproaches Cain.

To the right of the Principal Doorway, the third panel shows Cain and Abel offering their sacrifices to God; Cain murdering his brother; God the Father reproaching Cain.

6, 11, 12

Facciata.
Wiligelmo.
Quarta lastra con storie del Genesi.
Lamech uccide Caino. L'arca di Noè. L'uscita dall'arca di Noè e dei figli.

Nella quarta e ultima lastra, collocata dai Campionesi sopra la porta di destra e meglio

Façade.
Wiligelmus.
Fourth panel with scenes from Genesis.
Lamech kills Cain. Noah's Ark. Noah and his sons leave the Ark.

In the fourth and last panel, placed by the Campionese Masters above the right doorway

7, 13

conservata, assistiamo all'uccisione di Caino da parte del cieco Lamech e quindi, con un ardito salto temporale, vediamo l'Arca di Noè, con il patriarca che dapprima si affaccia tranquillo dal ponte insieme alla moglie e poi, placatosi il Diluvio, scende a terra con i figli.

14, 18

Facciata. Capitelli.

Sulla facciata, il segno forse più evidente del passaggio di consegne tra Lanfranco e Wiligelmo sta nella decorazione dei capitelli posti al livello della loggetta, dove in luogo della decorazione fogliacea neocorinzia delle absidi troviamo motivi figurati con protomi animali, teste e mascheroni maschili e femminili, e telamoni ricurvi sotto il peso del pulvino.

19

Facciata. Wiligelmo.
***Enoc* ed *Elia* reggono la tabella con l'iscrizione che ricorda la fondazione del Duomo.**

Eseguita agli inizi del XII secolo, la lastra con l'iscrizione in latino, sostenuta dai profeti Enoc ed Elia, ricorda in caratteri maggiori, con taluni riferimenti astronomici, la fondazione del Duomo nell'anno 1099, mentre sotto, in caratteri più piccoli, riporta il nome e le lodi dello scultore Wiligelmo.

20, 21

Facciata. Wiligelmo.
Genietti reggifiaccola.

Fedelmente ripresi da modelli dell'antichità classica, i due putti alati con fiaccola rovesciata vanno intesi come geni della morte e del lutto, simboli funerari il cui significato doveva essere ben noto allo scultore. L'uccello del genietto di sinistra è stato identificato dalla critica con un ibis, simbolo del cattivo cristiano, oppure con un pellicano, allusivo alla speranza di resurrezione offerta dal sacrificio di Cristo.

22

Facciata.
Wiligelmo. Il Portale maggiore.

Inquadrato da un protiro sormontato da un'edicola e poggiante su leoni romani di reimpiego, il Portale Maggiore consta principalmente di due elementi decorativi: il tralcio abitato che corre sugli stipiti, sull'architrave e sull'archivolto, e le dodici figure di profeti strette in anguste edicole all'interno degli stipiti. Notevoli anche i capitel-

and better preserved, we see Cain killed by the blind Lamech. Next we jump forward in time to the Ark, with Noah and his wife gazing placidly over the waters. In the last scene the Flood has subsided and Noah leaves the Ark with his family.

Façade. Capitals.

One the façade, perhaps the clearest evidence for the change between Lanfranc and Wiligelmus is to be found in the decoration of the capitals in the loggia, where instead of the neo-Corinthian leaf-decoration on the apse we have figurative motifs such as animal heads, male and female masks, and telamones bowing under the weight of the eaves.

Façade. Wiligelmus.
Enoch *and* Elias *supporting the tablet with the inscription recording the foundation of the Cathedral.*

Made in the early 12th century, this panel with its Latin inscription, supported by the figures of Enoch and Elias, records in large capitals the foundation of the Cathedral in 1099. A text in smaller letters records the name of Wiligelmus.

Façade. Wiligelmus.
Winged genii with torches.

Faithfully derived from classical models, the two winged children holding reversed torches represent the genii of death and mourning, funerary symbols whose meaning was evidently well-known to the sculptor. The bird standing beside the genius on the left has been identified as an ibis, the symbol of the bad Christian, or else as a pelican, alluding to the redeeming sacrifice of Christ.

Façade.
Wiligelmus. Principal Doorway.

Framed by a porch surmounted by an aedicule, and resting on reused Roman lions, the Principal Doorway has two main decorative elements: the inhabited vine that runs up the jambs and across the lintel and archivolt, and the twelve figures of Prophets in narrow niches on the inner surfaces of the jambs. Notice also the

li delle semicolonnine tortili e i due telamoni alla base degli stipiti.

fine capitals on the twisted semi-columns, and the telamones at the base of the jambs.

23, 24

Facciata.
Wiligelmo. Portale maggiore.
Particolari del tralcio abitato.

Desunto dai bestiari medioevali, il tralcio abitato è un intricato viluppo vegetale entro cui sono racchiuse figure umane e ferine scolpite con fantasia capricciosa e inesauribile. Tra i dettagli più significativi, vari ignudi e alcuni vendemmiatori intenti a raccogliere l'uva.

Façade.
Wiligelmus. Principal Doorway.
Details of the inhabited vine.

Derived from the medieval bestiaries, the "inhabited vine" is an intricate pattern of foliage enclosing human and animal figures, sculpted with exuberant and inexhaustible fantasy. Among the more interesting figures are nudes, and grape-pickers gathering the vintage.

25, 26, 27

Facciata.
Wiligelmo. Portale maggiore.
Il profeta Abacuc. Il profeta Ezechiele.
Il profeta Isaia.

Precedute da due angeli e chiuse entro eleganti strutture architettoniche con archi a tutto sesto, le dodici figure dei Profeti che preconizzarono l'avvento salvifico di Cristo si ispirano al testo pseudo-agostiniano dell'*Ordo Prophetarum* e possono essere interpretate come le fondamenta della Chiesa stessa.

Façade.
Wiligelmus. Principal Doorway.
The prophet Habacuc. The prophet Ezechiel.
The prophet Isaias.

Preceded by two angels and enclosed within elegant niches with rounded arches, the twelve figures of the Prophets who foretold the coming of Christ the Saviour are derived from a text by Pseudo-Augustine, Ordo Prophetarum. *They may be interpreted as the foundation of the Church herself.*

28

Facciata.
Wiligelmo. Portale maggiore.
Capitello destro.

I capitelli posti sulle semicolonnine tortili sono occupati, a sinistra, da due telamoni in precario equilibrio sul collarino strigile, e a destra da due figure separate da un cane a due teste e aggrappate a un anello vegetale.

Façade.
Wiligelmus. Principal Doorway.
Right capital.

Of the two capitals on the twisted semi-columns, the one on the left shows two telamones precariously balancing on a sort of garland; this one on the right has two figures flanking a double-headed dog, and clutching onto a garland.

29, 30

Facciata. Protiro.
Rilievo con cervi che si abbeverano alla fonte.
Rilievo con leoni, animali fantastici e una figura umana.

Nell'arcata del protiro gli spigoli dei pennacchi recano due rilievi per i quali, sulla base dell'accurato trattamento anatomico degli animali, risulta ormai comunemente accettata l'attribuzione a Wiligelmo. Nel rilievo di destra appare anche una figura umana ignuda che cavalca un essere mostruoso.

Façade. Porch.
Relief with deer drinking at a fountain.
Relief with lions, fantastical beasts and a human figure.

In the corners of the spandrels of the arch there are two reliefs which, on account of their accurate anatomical treatment, are generally ascribed to Wiligelmus. The one on the right shows a nude human figure riding a monster.

31

Facciata. Il rosone campionese.

Il grande rosone situato nella parte superiore della facciata fu aggiunto dai maestri campionesi oltre un secolo dopo il progetto di riedificazione del Duomo da parte dell'architetto Lanfranco.

Façade. The Campionese rose window.

The large rose window in the upper part of the façade was added by the Campionese Masters more than a century after Lanfranc had draw up his plans for the Cathedral. This alteration was

I Campionesi operarono con grande perizia sulla compagine muraria, aumentando notevolmente l'intensità luminosa all'interno dell'edificio.

carried out with great skill, and considerably increased the illumination of the interior.

32-35

Facciata. I simboli degli Evangelisti.

Collocati sulla facciata sin dai tempi più antichi, i quattro rilievi, tutti di altissima qualità nonostante i danni dovuti all'esposizione atmosferica, sono riferibili alla bottega di Wiligelmo ma recano forse traccia di un suo intervento diretto. Come è noto, l'angelo (32) è il simbolo dell'evangelista Matteo, il leone (33) di Marco, l'aquila (34) di Giovanni e il bue (35) di Luca.

Façade. The symbols of the Evangelists.

These four reliefs have been on the façade since the very beginning. They are of the highest quality, despite damage caused by exposure to the elements, and although attributed to Wiligelmus's workshop they perhaps bear traces of his direct intervention. As is well-known, the angel (32) is the symbol of the evangelist Matthew, the lion (33) of Mark, the eagle (34) of John and the ox (35) of Luke.

36

Facciata. *Sansone smascella il leone.*

Anche questo rilievo, concepito con ogni probabilità per essere collocato in facciata, racchiude un significato simbolico, giacché l'immagine dell'eroe biblico è sempre stata assimilata a quella di Cristo. Il messaggio della lastra si inserisce dunque nel programma generale della facciata: la promessa di salvezza.

***Façade.* Samson breaks the lion's jaw.**

This relief too, probably designed to go on the façade, carries a symbolic significance, since the image of the Biblical strong-man was always assimilated to that of Christ. So the message of this panel is in harmony with the overall theme of the façade: the promise of salvation.

37

Facciata. *Il Redentore.*

Situato sopra il rosone, l'altorilievo raffigurante *Cristo in trono*, incorniciato entro una mandorla sovrastata da una sorta di baldacchino, mostra caratteri stilistici riconducibili a un Maestro del Redentore attivo in epoca posteriore ai Campionesi, quindi ben oltre gli inizi del secolo XIII.

***Façade.* The Redeemer.**

Located above the rose window, the high relief showing Christ enthroned, framed by a mandorla surmounted by a kind of baldaquin, has stylistic features that relate it to the work of a Master of the Redeemer who was active somewhat later than the Campionese Masters, i.e. later than the early 13th century.

38

Facciata. Angelo.

Stilisticamente apparentato alla sottostante statua del *Redentore*, l'angelo montato sull'acroterio della facciata, benché deteriorato dalle intemperie, può essere letto come l'arcangelo *Michele*, visto che l'angelo dalla parte opposta, sulle absidi, è certamente *Gabriele*.

Façade. Angel.

Similar in style to the statue of the Redeemer below, the angel perched on the acroterion of the façade, although damaged by exposure to the weather, can be identified as the archangel Michael, especially as the angel on the opposite end, above the apse, is certainly Gabriel.

39

La congiunzione tra la facciata e il fianco sud.

L'immagine mostra soprattutto l'armonioso andamento dell'elegante loggia a trifore che percorre l'intero perimetro del Duomo. Notevole anche la scansione del parato lapideo, effettuata mediante agili semicolonne sormontate da fantasiosi capitelli. Nello sfondo, uno scorcio del Palazzo Comunale con la Torre dell'Orologio.

The corner between the façade and the south side.

This photograph shows the harmonious lines of the elegant arched loggia that runs all the way around the perimeter of the Cathedral. Note the rhythmic division of the wall area, effected by slender semi-columns with fantastical capitals. In the background we glimpse the Palazzo Comunale with its clock-tower.

40

Il fianco sud e la Piazza Grande.

Per le sue significative emergenze architettoniche e sculturali, quali la Porta dei Principi, la Porta Regia e il Pulpito di Piazza, il fianco sud si presenta come una vera e propria seconda facciata aperta sulla principale area di aggregazione civile e religiosa del centro storico di Modena.

The south side and Piazza Grande.

With its various important architectural and sculptural features - the Doorway of the Princes, the "Porta Regia", the pulpit overlooking the piazza - the south side of the Cathedral constitutes a kind of secondary façade, looking onto the principal civic and religious meeting place in Modena.

41

Fianco sud. La Porta dei Principi.

Databile in stretta contiguità con i lavori della facciata, ossia agli anni 1106-1110 circa, la Porta dei Principi presenta un programma iconografico di carattere neo-testamentario in cui emergono precisi richiami al Battesimo. In passato infatti, passando da qui, chi voleva ricevere il sacramento poteva accedere direttamente al fonte battesimale. Nel 1944 la porta fu parzialmente danneggiata da un bombardamento.

South side. The Doorway of the Princes.

Datable to the same time as the work on the façade (roughly between 1106 and 1110), the Doorway of the Princes has an iconographic programme based on the New Testament and making precise references to Baptism. This was in fact the door used by those who were to be christened, since it gave access to the font. In 1944 it was partially damaged by bombardment.

42

Fianco sud.
Porta dei Principi. Architrave.
Storie di san Geminiano.

Uno dei principali elementi scultorei della Porta dei Principi è la faccia anteriore dell'architrave, dove in sei gustosi quadretti un abile seguace di Wiligelmo ha narrato episodi della vita di san Geminiano: la partenza a cavallo per l'Oriente, il viaggio per mare, la guarigione della figlia dell'imperatore Gioviano, l'imperatore offre doni al santo, il ritorno a Modena, la tumulazione del corpo del santo alla presenza di san Severo, vescovo di Ravenna.

South side.
The Doorway of the Princes. Architrave.
Scenes from the life of St Geminianus.

One of the main sculptural features of the Doorway of the Princes is the anterior surface of the architrave, where an able follower of Wiligelmus has carved six attractive scenes from the life of St Geminianus: the departure on horseback for the East; the sea voyage; the healing of the emperor Jovian's daughter; the emperor offering gifts to the Saint; the return to Modena; the burial of the Saint's body in the presence of St Severus, bishop of Ravenna.

43, 44

Fianco sud.
Porta dei Principi. Stipiti.
Particolari del tralcio abitato.

Analogo a quello del Portale Maggiore, un tralcio abitato, composto da viluppi di verzura inframmezzati da figure umane e animali reali e fantastici, ricopre interamente l'esterno degli stipiti e l'archivolto della Porta dei Principi, mostrando talora inedite figurazioni legate al tema del lavoro umano.

South side.
The Doorway of the Princes. Jambs.
Details of the inhabited vine.

Similar to the one on the Principal Doorway, this "inhabited vine" consists of dense foliage enmeshing human figures and animals both real and imaginary. It entirely covers the external jambs and archivolt of the Doorway of the Princes, and illustrates the theme of human labour.

45-48

Fianco sud.
Porta dei Principi. Stipiti.
L'apostolo Andrea. L'apostolo Giovanni. L'apostolo Bartolomeo. San Giovanni Battista.

A integrazione del messaggio di salvezza anticipato dai *Profeti* del Portale Maggiore, l'in-

South side.
The Doorway of the Princes. Jambs.
St Andrew the Apostle. St John the Apostle. St Bartholomew the Apostle. St John the Baptist.

Complementing the message of salvation foretold by the Prophets *on the Principal Doorway,*

terno degli stipiti della Porta dei Principi presenta, entro analoghe nicchie, gli *Apostoli* e le figure di *San Giovanni Battista*, *San Geminiano*, *San Paolo* e un diacono.

the inside of the jambs on the Doorway of the Princes have niches containing figures of the Apostles, St John the Baptist, St Geminianus, St Paul *and a deacon.*

49-52

Fianco sud. Capitelli.

Anche sul fianco sud si ripropone con inesauribile fantasia il bizzarro repertorio iconografico dei capitelli della facciata. Tra i soggetti più singolari, una protome mostruosa che ingoia le lunghe code di due arpie-sirene, due esseri ibridi ispirati ai centauri classici, una sirena con due code e un uomo con una lunga veste che trattiene due figure a gambe levate.

South side. Capitals.

The same exuberant and bizarre iconographical repertory is found on the capitals of the south side as on those of the façade. Among the more striking examples we find a monstrous head devouring the tails of two mermaid-harpies, two hybrid creatures inspired by classical centaurs, a double-tailed mermaid and a man in a long tunic who is clutching two male nudes with flailing legs.

53

Fianco sud.
Il Veridico strappa la lingua alla Frode* e *Giacobbe lotta con l'Angelo.

Il rilievo, posto sulla quinta arcatura da ovest, fu gravemente danneggiato nel 1944 dal bombardamento che colpì la Porta dei Principi. La duplice iconografia è stata recentemente ricondotta ai contrasti tra Papato e Impero negli anni della lotta per le investiture.

South side.
Truth tearing out the tongue of Fraud *and* Jacob wrestling with the Angel.

This relief, located in the fifth bay from the west, was severely damaged by bombing in 1944. The double iconography has recently been associated with the struggle between Papacy and Empire during the investiture controversy.

54

Fianco sud. La Porta Regia.

L'apertura della Regia di Piazza, impropriamente chiamata Porta Regia ("regia" infatti è termine del latino medioevale designante la porta principale di una chiesa), si colloca tra il 1209 e il 1231, durante la stessa campagna dei lavori per il presbiterio. È la porta più riccamente decorata dell'intero edificio ed è sormontata da un'elegante loggetta a tre arcate.

South side. The "Porta Regia".

The "Regia di Piazza", commonly but mistakenly called the "Porta Regia" (regia being the medieval Latin term for the principal doorway of a church), was made between 1209 and 1231, the period of the work on the presbytery. It is the most richly decorated doorway of the Cathedral and is surmounted by an elegant triple-arched loggia.

55, 57

Fianco sud. Porta Regia. Protiro.
Il leone di sinistra. Il leone di destra.

Il tema generale della porta - la lotta del Maligno contro l'Uomo e di Cristo contro il Maligno - è sottolineato anche dai due leoni che alla base delle colonne ghermiscono la preda, elementi che rispetto ai leoni stilofori di reimpiego del Portale Maggiore e della Porta dei Principi presentano volumi di maggiore grandiosità e un carattere più architettonico che statico.

South side. "Porta Regia". Porch.
The lion on the left. The lion on the right.

The overall theme of this doorway - the fight by Evil against Mankind and of Christ against Evil - is emphasised also by the two columnbearing lions savaging their prey. Compared with the re-used lions on the Principal Doorway and the Doorway of the Princes, these more grandiose lions play an architectural rather than a merely functional role.

56, 58

Fianco sud. Porta Regia.
Particolari della decorazione degli strombi.

Pur essendo la porta più riccamente decorata dell'intero edificio, la Regia contiene meno

South side. "Porta Regia".
Details of the decoration of the embrasures.

Although it is the most richly decorated of the Cathedral's doorways the "Porta Regia" has

sculture delle altre porte, poiché i moduli impiegati risultano di carattere prevalentemente ornamentale. Spiccate singolarità presentano tuttavia i rilievi e gli stiacciati degli strombi, in cui prende forma un ricco repertorio di mascheroni e figurazioni zoologiche reali e immaginarie.

less sculpture than the other ones as the carving is predominantly ornamental. There is however a rich variety of imaginatively designed beasts and masks on the embrasures.

59

Fianco sud.
Giacomo da Ferrara (doc. 1481-1518) e Paolo di Giacomo (doc. 1483-1527).
Pulpito di piazza (1500-1501).

Sorretto da due mensole intagliate a girali e mascheroni fogliati, il pulpito esterno, eretto agli inizi del secolo XVI da due lapicidi ferraresi attivi da tempo nel cantiere del Duomo, presenta sulla cassa quattro lastre di pietra recanti i simboli degli Evangelisti entro cornici circolari.

South side.
Giacomo da Ferrara (doc. 1481-1518) and Paolo di Giacomo (doc. 1483-1527).
Pulpit overlooking the Piazza (1500-1501).

Supported by two corbels carved with foliage and masks, this external pulpit, erected in the early 16th century by two Ferrarese stonecutters working at that time on the Cathedral, has four panels with representations of the Symbols of the Evangelists, inside circular frames.

60

Fianco sud.
Agostino di Antonio di Duccio (1418 ca - *post* 1481). Quattro episodi della vita di san Geminiano (1442).

Murata nella parete dell'ultima arcata, la grande lastra di marmo bianco di Agostino di Duccio, firmata e datata, reca quattro episodi della vita del patrono di Modena: la figlia dell'imperatore Gioviano liberata dal demonio, i doni dell'imperatore per la guarigione della figlia, le miracolose esequie del santo alla presenza di san Severo, e la liberazione di Modena da Attila, flagello di Dio.

South side.
Agostino di Antonio di Duccio (ca. 1418 -** **post** ***1481). Four episodes from the life of St Geminianus (1422).

Set into the wall of the last bay, this large white marble panel by Agostino di Duccio, signed and dated, has four scenes from the life of Modena's Patron Saint: the daughter of the emperor Jovian freed from the power of the devil; the gifts of the emperor for the healing of his daughter; the miraculous exequies of the Saint in the presence of St Severus of Ravenna; the saving of Modena from Attila the Hun.

61

Le absidi da Piazza Grande.

Il fianco est del Duomo si presenta suddiviso in tre absidi sormontate dalla loggia continua che corre lungo l'intero perimetro dell'edificio. Attorno all'area absidale un fossatello indica il cedimento del suolo sotto il peso del Duomo e della Ghirlandina.

The apses seen from Piazza Grande.

The east end of the Cathedral is divided into three apses surmounted by the continuous loggia that runs all the way around the building. The sunken ditch around the base indicates how the ground has subsided beneath the weight of the Cathedral and the Ghirlandina.

62-66

Absidi. Capitelli.

Notevoli per varietà ideativa e qualità scultorea sono i capitelli dell'abside, il primo dei quali (62) è da ricondurre alla primitiva fase esecutiva di Lanfranco, mentre quelli successivi (63-65) propongono il motivo, assai frequente nell'area absidale, dei telamoni tesi nello sforzo di sostenere il pulvino. Singolare la coppia di figure mostruose del primo capitello da sud dell'abside centrale (66).

Apses. Capitals.

The capitals on the apses are remarkable for their imaginative variety and for the quality of their execution. The earliest (62) may be dated to the period of Lanfranc's initial work, while the later ones (63-65) continue the motif - found extensively on the apses - of telamones straining to support the weight of the eaves. Of exceptional interest is the pair of monstrous creatures on the first capital from the south in the central apse (66).

67

Absidi. Finestra della cripta, iscrizione in onore dell'architetto Lanfranco e antiche misure del Comune di Modena.

Una tabella marmorea murata all'esterno dell'abside maggiore per volontà di Bozzalino, massaro del Duomo tra il 1208 e il 1225, tesse le lodi dell'architetto Lanfranco e ricorda la fondazione dell'edificio. Accanto alla finestra, le antiche misure ufficiali del Comune di Modena: mattone, pertica e coppo.

Apses. Crypt window, inscription about the architect Lanfranc, and old official measures of the Comune of Modena.

A marble slab set into the external wall of the central apse by Bozzalino, master builder of the Cathedral from 1208 to 1225, praises the architect Lanfranc and records the date of foundation. Next to the crypt window are the old official measures of the city government: brick, perch and bowl.

68

Abside. L'arcangelo Gabriele (sec. XIII).

Stilisticamente affine a quello della facciata, l'arcangelo posto sulla sommità dello pseudotransetto che conclude l'abside presenta un ritmo scultoreo lento e ponderato, ispirato ai canoni di un pronunciato classicismo che induce a riferirlo alla tarda attività dei Maestri Campionesi, verso il terzo decennio del Duecento.

Apse. The Archangel Gabriel (13th cent.).

Similar in style to the one on the façade, the Archangel standing on the summit of the pseudotransept that concludes the apse has a slow and ponderous sculptural rhythm, inspired by the canons of a pronounced classicism that brings to mind the later activity of the Campionese Masters, in the 1220s.

69

Le absidi e il fianco nord.

La veduta di scorcio sull'attacco tra l'abside e il fianco nord bene illustra la funzione volumetrica e spaziale del finto transetto eretto dai Maestri Campionesi per dare maggiore imponenza alla sezione posteriore del Duomo. Particolarmente felice l'innesto, su questa sopraelevazione, delle due torrette che inquadrano la cuspide centrale.

The apses and the north side.

This corner-shot of the meeting between the apse and the north side well illustrates the volumetric and spatial function of the pseudotransept created by the Campionese Masters to lend greater mass to this end of the Cathedral.

Particularly pleasant, on this superelevation, is the insertion of the two small towers framing the central cusp.

70

L'arco tra il Duomo e la Ghirlandina.

Nel 1338 il Duomo e la Ghirlandina furono collegati da due muri trasversali con arconi a sesto acuto, all'interno dei quali si trovavano la Sagrestia vecchia e il passaggio alla torre campanaria. Interamente demoliti tra il 1903 e il 1905, vennero in seguito ricostruiti secondo le forme originarie.

The arch between the Cathedral and the Ghirlandina.

In 1338 the Cathedral and the Ghirlandina were joined to each other by two transverse walls with pointed arches, between which was the old Sacristy and the passage leading to the bell-tower. Entirely demolished between 1903 and 1905, the arches were later rebuilt in their original form.

71

Fianco nord. La Porta della Pescheria.

La Porta della Pescheria, il cui nome deriva dalla presenza nelle vicinanze della "pescheria" del vescovo, si apre nella quarta arcata da est del fianco settentrionale ed è sormontata da un'edicola con arcatella a tutto sesto su colonne.

North side. The "Pescheria" Doorway.

The "Pescheria" Doorway, whose name derives from the nearby "fish-market" of the bishop, is in the fourth bay from the east on the north side, and is surmounted by an aedicule with a rounded arch supported by columns.

72

Fianco nord. La Porta della Pescheria.

Gli stipiti presentano allegorie dei mesi e tralci vegetali abitati da animali reali o fantastici, l'architrave mostra motivi zoomorfi di carattere

North side. The "Pescheria" Doorway.

The jambs have allegories of the Months, and foliage inhabited by real and imaginary animals; the architrave has animal motifs derived

favolistico e l'archivolto illustra vari episodi della leggenda arturiana centrati sulla liberazione di una donna prigioniera in un castello.

from beast-fables; the architrave illustrates episodes from the Arthurian cycle, centred on the liberation of a lady imprisoned in a castle.

73-78

Fianco nord. Porta della Pescheria.
I mesi di *Gennaio*, *Febbraio*, *Marzo*, *Aprile*, *Maggio*, *Giugno*.

Il motivo del lavoro umano, già trattato con enfasi nel ciclo del Genesi svolto sulla facciata, ritorna con accenti di pungente realismo nelle figurazioni allegoriche dei dodici Mesi istoriate all'interno degli stipiti.

North side. The "Pescheria" Doorway.
***The months of* January, February, March, April, May, June.**

The motif of human labour, already encountered in the Genesis cycle on the façade, returns with some touches of startling realism in the allegorical representations of the twelve Months, shown on the inner surfaces of the jambs.

79-84

Fianco nord. Porta della Pescheria.
I mesi di *Luglio*, *Agosto*, *Settembre*, *Ottobre*, *Novembre*, *Dicembre*.

Tutto il ciclo dei Mesi illustra motivi e mestieri legati al mondo contadino, mostrando vari personaggi la cui caratterizzazione fisionomica tradisce la consapevolezza di una certa stratificazione sociale. Ciascuna raffigurazione reca in forma abbreviata il nome del mese corrispondente.

North side. The "Pescheria" Doorway.
***The months of* July, August, September, October, November, December.**

The cycle of the Months illustrates peasant-like activities. The expressions on the faces of the figures seem to betray consciousness of their low social status. Above each figure the name of the appropriate month is written in abbreviated form.

85

Fianco nord. Porta della Pescheria.
Architrave e archivolto.

Nell'architrave il tema degli animali reali e fantastici è legato a motivi di origine classica o favolistica, tra cui la celebre storia del lupo e della gru all'estrema destra. Sciolta e vivace anche l'ampia curva dell'archivolto, in cui il nobile tema cavalleresco del ciclo bretone si risolve in una festevole e baldanzosa cavalcata.

North side. The "Pescheria" Doorway.
Architrave and archivolt.

On the archivolt the treatment of real and imaginary animals is derived from the fables of classical antiquity, such as the famous tale of the fox and the stork illustrated at far right. The semi-circular archivolt is carved with a lively chivalric scene derived from the Breton lays, showing a cavalcade of mounted knights.

86

L'interno da ovest.

All'aspetto monumentale dell'esterno fa riscontro, nel progetto dell'interno elaborato da Lanfranco, un'atmosfera di sobrio e austero raccoglimento, resa più calda e suggestiva dall'impiego pressoché uniforme del laterizio e dagli effetti di luce che filtrano dalle finestre e dalle vetrate policrome del grande rosone.

The interior from the west.

The monumental exterior is complemented, in Lanfranc's plans for the interior, by a sober and austere atmosphere, given warmth and charm by the almost uniform use of brick and by the light that filters through the side windows and the great rose window.

87

Interno.
La navata centrale e la controfacciata dall'uscita della cripta.

Una breve scalinata, sormontata dalle eleganti colonnette che sostengono il pontile, introduce alla cripta, dove un ampio vano a tre navate, scandito da colonne con fantasiosi capitelli, accoglie un antico sarcofago con le spoglie di san

Interior.
The nave and the counter-façade seen from the crypt.

A short flight of stairs, surmounted by the colonnettes that support the "pontile", leads to the crypt, a large space divided into three by columns with fantastical capitals. It houses an antique sarcophagus containing the mortal remains of

Geminiano, vescovo e protettore della città.

St Geminianus, bishop and protector of Modena.

88-90

Interno. Navata settentrionale.
Michele di Niccolò Dini, detto Michele dello Scalcagna o Michele da Firenze (attivo 1403-1443 ca).
Polittico detto *Altare delle Statuine* (1440-1441), e particolari: *Madonna col Bambino* (89); *La Crocifissione* (90).

Collocata nella cappella di santa Caterina, la grandiosa ancona in terracotta a cinque scomparti, a forma di polittico gotico, presenta due registri principali con figure entro nicchie, una predella con *Storie della vita di Cristo* e uno slanciato coronamento a pinnacoli.

Interior. North aisle.
Michele di Niccolò Dini, known as Michele dello Scalcagna or Michele da Firenze (active ca. 1403-1443).
Polyptych known as the* Altar of the Statuettes *(1440-1441), and details:* Madonna and Child *(89);* Crucifixion *(90).

This elaborate terracotta altarpiece with five compartments, in the form of a gothic polyptych, stands in the Chapel of St Catherine. It has two main registers of figures inside niches, a predella with Scenes from the Life of Christ, and a crowning with cusps and pinnacles.

91

Interno. Navata settentrionale.
Dosso Dossi (1486?-1542).
Madonna col Bambino e santi
(Pala di san Sebastiano) (1518-1521).

La tavola, una delle più alte realizzazioni del Dossi nell'ambito della produzione sacra, mostra spiccate consonanze con l'arte di Tiziano, il grande maestro cadorino i cui modi, agli inizi degli anni venti, si sviluppano entro un clima di referenti culturali comuni anche al pittore ferrarese.

Interior. North aisle.
Dosso Dossi (1486?-1542).
Madonna and Child with Saints
(Altarpiece of St Sebastian) (1518-1521).

This panel, one of Dosso Dossi's finest religious paintings, shows distinct affinities with the work of Titian, the great master from Cadore, whose style, in the early 1520s, developed within a cultural atmosphere shared by the artist from Ferrara.

92

Interno. Navata settentrionale.
Gianantonio da Mantova e Simone da Rodigo (doc. 1541), su disegno di Giulio Romano. Monumento funerario di Claudio Rangoni (1542 ca).

Il monumento, anticamente nella chiesa modenese di San Biagio, fu collocato nella sede attuale nel 1807. Il defunto, membro di una nobile famiglia cittadina, fu un valente condottiero al servizio dei veneziani e poi del re di Francia Francesco I. Morì nel 1528 a soli 28 anni.

Interior. North aisle.
Gianantonio da Mantova and Simone da Rodigo (doc. 1541), to a design by Giulio Romano. Funerary monument to Claudio Rangoni (ca. 1542).

This monument, formerly in the church of San Biagio in Modena, was moved to its present position in 1807. Claudio Rangoni was a member of a local noble family who fought bravely as a mercenary captain in the service of Venice and later of the French king, François I. He died in 1528 aged only 28.

93

Interno. Presbiterio.
Agostino di Duccio (1418 ca - *post* 1481).
***San Geminiano salva un fanciullo* (1442 ca).**

Collocata in origine all'esterno del Duomo, in prossimità della torre campanaria, la statua in marmo bianco, gravemente mutila alla base, fu trasferita all'interno nel 1897. Secondo la leggenda, mostra il santo in atto di trattenere miracolosamente per i capelli un fanciullo precipitato dalla Ghirlandina, così salvandolo da morte certa.

Interior. Presbytery.
Agostino di Duccio (ca. 1418 - post 1481).
St Geminianus saves a child *(ca. 1442).*

Originally located on the exterior of the Cathedral, near the bell-tower, this white marble statue, severely damaged at the base, was moved inside in 1897. It illustrates the legend that St Geminianus miraculously held a child by the hair as he was about to fall from the Ghirlandina, thus saving him from certain death.

94-97

Interno. Presbiterio.
Cristoforo Canozi, detto da Lendinara (doc. 1449-1490).
***Gli Evangelisti Marco, Giovanni, Matteo e Luca,* tarsie lignee (1477).**

I quattro pannelli intarsiati, appesi alla parete sinistra del presbiterio, sono considerati il capolavoro assoluto di Cristoforo da Lendinara, intarsiatore emiliano dotato di una tecnica raffinata e di un'eccezionale capacità di trattamento fisionomico delle figure.

Interior. Presbytery.
Cristoforo Canozi, known as Cristoforo da Lendinara (doc. 1449-1490).
The Evangelists Mark, John, Matthew and Luke, *wooden intarsia (1477).*

These four intarsiated panels, fixed to the left-hand wall of the presbytery, are considered the supreme masterpiece of Cristoforo da Lendinara, the intarsia-maker from Emilia who combined consummate technique with an extraordinary ability to convey facial expression.

98 a, b

Interno. Abside nord.
Serafino de' Serafini (doc. 1349-1393).
Polittico con *L'Incoronazione della Vergine, La Crocifissione e santi* (1385) su lastra con la croce e animali affrontati (sec. IX).

Unica prova firmata e datata dell'artista, l'opera è uno dei frutti più maturi ed eloquenti, non solo della carriera di Serafino, ma anche della cultura figurativa emiliana degli ultimi decenni del Trecento, in cui il maestro immette una nota di ponderata serietà desunta dalla pittura padovana.

Interior. North apse.
Serafino de' Serafini (doc. 1349-1393).
Polyptych with* The Coronation of the Virgin, The Crucifixion, and Saints *(1385), above a slab with a cross and affrontant animals (9th cent.).

The only signed and dated work by this artist, the polyptych is one of the most mature and eloquent productions not only of Serafino but of the figurative art of Emilia in the final decades of the 14th century, into which the master introduces a note of thoughtful seriousness derived from Paduan painting.

99

Interno. Presbiterio.
Scultore della seconda metà del sec. XIII.
Crocifisso (1270-1300).

Posto nell'attuale collocazione nel 1920, a suggello della ricomposizione del pontile, il *Crocifisso*, più grande del naturale (cm 198 x 190), era posto dal Seicento in poi nella navata sinistra, sull'altare detto appunto "del Crocifisso". Alla statua, lambita da un'intensa e toccante espressività, erano attribuite virtù taumaturgiche e miracolose.

Interior. Presbytery.
Sculptor of the later 13th century.
Crucifix (1270-1300).

Placed in its present position in 1920, after the recomposition of the "pontile", this more than life-size (198 x 190 cm) Crucifix *stood from the 17th century in the left aisle, above the altar "of the Crucifix". Thaumaturgic and miraculous powers have been attributed to this pathetic and touching carving.*

100

Interno. Abside maggiore.
Cristoforo (doc. 1449-1490) e Lorenzo (doc. 1449-1477) Canozi, detti da Lendinara.
Coro ligneo intarsiato (1461-1465).

Esponenti di spicco di un'intera dinastia di intarsiatori, i due fratelli sfoggiano negli stalli del coro le loro doti più precipue: scaltrita abilità compositiva, uso sapiente in funzione cromatica delle più diverse essenze ed eccezionali doti prospettiche, desunte dalle ricerche di Piero della Francesca.

Interior. Central apse.
Cristoforo (doc. 1449-1490) and Lorenzo (doc. 1449-1477) Canozi, known as da Lendinara.
Intarsiated wooden choir (1461-1465).

Outstanding members of a noted family of intarsia-makers, the two brothers lavished on these choir-stalls their own particular skills: finely judged compositional ability, clever use of hue and tone, and exceptional knowledge of perspective (derived from the study of Piero della Francesca).

101

Interno. Navata meridionale.
La quarta campata da ovest con la Porta Regia.

Nella parete della quarta campata da ovest, in cui si apre lo stipite interno della Porta Regia, sono murate varie iscrizioni e sono visibili vari frammenti di affreschi: un grande *San Cristoforo*, del 1240 ca; un lacerto di scuola pistoiese, del 1325 ca, con *Santo cavaliere e santa Maria Maddalena*; e un *San Giacomo Maggiore* a figura intera e in veste di pellegrino, della metà del secolo XIV.

Interior. South aisle.
The fourth bay from the east with the "Porta Regia".

In the fourth bay from the east, where the "Porta Regia" is, there are some inscriptions set into the wall and also some fragments of frescoes: a large St Christopher, *ca. 1240; a* Sainted Knight with St Mary Magdalen *of the Pistoiese school, ca. 1325; a full-length* St James the Greater *in pilgrim's garb, of the mid-14th century.*

102

Interno. Navata meridionale.
Bartolomeo Spani (1468-1539).
Monumento funerario di Francesco Maria Molza (1516).

Il monumento, che reca una targa dedicatoria della moglie del poeta, Caterina, è opera di uno scultore formatosi a Reggio Emilia e a Roma in un clima ricco di vivaci fermenti umanistici. Nella sobria scansione dei marmi policromi, lo Spani mostra desunzioni da modelli scultorei toscani e romani, mentre la sottile indagine fisionomica del volto del defunto è di chiara ascendenza padana.

Interior. South aisle.
Bartolomeo Spani (1468-1539).
Funerary monument to Francesco Maria Molza (1516).

This monument, bearing an inscription by the poet's wife Caterina, is the work of a sculptor who received his training in Reggio Emilia and in Rome at a time of lively humanist discussion. In his sober use of polychrome marbles Spani shows the influence of Tuscan and Roman sculpture, while the subtle treatment of the dead man's facial expression reflects the art of the Po valley.

103-106

Interno. Navata meridionale.
Antonio Begarelli (1499 ca-1565).
***Presepe*, terracotta (1527).**

Commissionato dalla Mensa Comune dei preti per il proprio altare dedicato a san Sebastiano, il gruppo era collocato in origine sotto la pala di Dosso Dossi e recava una tinteggiatura bianca con fregi dorati, rimossa durante il restauro del 1976. Tra Quattro e Cinquecento, il plasticatore Antonio Begarelli fu, con Guido Mazzoni, il più dotato esponente della scultura modenese.

Interior. South aisle.
Antonio Begarelli (ca. 1499-1565).
Nativity of Christ, *terracotta (1527).*

Commissioned by the priests of the "Mensa Comune" for their own altar of St Sebastian, this sculptural group originally stood beneath the altarpiece by Dosso Dossi and had a coating of white and gold paint (removed when the group was restored in 1976). The modeller Antonio Begarelli was, together with Guido Mazzoni, the most talented Modenese sculptor of the 15th and 16th century.

107, 108

Interno. Navata meridionale.
Cristoforo Canozi, detto da Lendinara (doc. 1449-1490), attr.
Affreschi della Cappella Bellincini (1472 ca-1476). *Madonna col Bambino.*

Oltre che dotato intagliatore, Cristoforo Canozi fu anche eccellente pittore, dotato di una sobria misura monumentale desunta direttamente, anche nelle tarsie lignee, dall'arte di Piero della Francesca. Scoperti casualmente solo nel 1822, gli affreschi della Cappella Bellincini mostrano

Interior. South aisle.
Cristoforo Canozi, known as Cristoforo da Lendinara (doc. 1449-1490), attrib.
***Frescoes in the Bellincini Chapel (ca. 1472-1476).* Madonna and Child.**

As well as being a gifted woodworker, Cristoforo Canozi was also an excellent painter, whose sober monumental style derived (like his intarsia work) from Piero della Francesca. Discovered by chance in 1822, the frescoes in the Bellincini Chapel show significant affinities with the limit-

significative tangenze con la scarsa produzione attribuibile al multiforme maestro di Lendinara.

ed number of works attributed to the versatile master from Lendinara.

109

Interno. La controfacciata.

Anche sulla controfacciata, oltre alle lapidi commemorative di notabili e uomini illustri, spiccano vari monumenti funebri come il sarcofago di Iacopo Altemps, quello del condottiero Giovan Battista Molza e l'arca marmorea che racchiude le spoglie del vescovo Giovan Battista Ferrari.

Interior. The counter-façade.

The counter-façade is adorned with a number of commemorative inscriptions, and has several funerary monuments: the sarcophagus of Iacopo Altemps, that of the mercenary captain Giovan Battista Molza, and the marble tomb of the bishop Giovan Battista Ferrari.

110

Interno. Controfacciata.
Il rosone campionese.

La calda e soffusa luminosità dell'interno si deve in buona parte all'effetto del grande rosone romanico, suddiviso da eleganti colonnine in ventiquattro lancette. Quattro di queste, eseguite nella prima metà del secolo XV da Giovanni di Pietro Falloppi, detto da Modena, presentano le figure di *Dio Padre*, *San Geminiano*, l'*Angelo annunciante* e la *Vergine annunciata*.

Interior. The counter-façade.
The Campionese rose window.

The warm and suffused luminosity of the interior is due in large part to the effect of the great Romanesque rose window, which is divided by elegant colonnettes into twenty-four lights. Four of these, made in the earlier 15th century by Giovanni di Pietro Falloppi, known as da Modena, have the figures of God the Father, St Geminianus, *the* Angel Gabriel *and the* Virgin Annunciate.

111

Interno. Navata centrale.
Enrico da Campione (1322) e plasticatori dei secoli XV e XVII. Pulpito.

Compromesso da svariate manipolazioni, il pulpito presenta undici statuine in terracotta dei secoli XV e XVII raffiguranti la *Madonna col Bambino, il Redentore e nove santi*. Sul pilastro sottostante, un affresco ottocentesco con la *Madonna del latte*, su quello soprastante una *Madonna col Bambino* di Tommaso da Modena (1340-1349 ca), e all'esterno della scala due affreschi del primo Quattrocento con episodi della vita di sant'Ignazio, vescovo di Antiochia.

Interior. Nave.
Enrico da Campione (1322) and modellers of the 15th and 17th century. Pulpit.

Having undergone various alterations, the pulpit now has eleven statuettes of the 15th and 17th century representing the Madonna and Child, the Redeemer and nine Saints. *Below, on the pier, there is a 19th-century fresco of the* Madonna of the Milk*; above, a* Madonna and Child *by Tommaso da Modena (ca. 1340-1349); on the outside of the stairs are two early-15th-century frescoes showing scenes from the life of St Ignatius of Antioch.*

112

Interno. Navata centrale.
Il pontile campionese e il presbiterio.

L'attuale assetto dell'area presbiteriale, in fondo alla navata centrale, è frutto di un complesso intervento di restauro e ricomppsizione effettuato agli inizi del XX secolo. In luogo della cancellata in ferro installata alla fine del Cinquecento in omaggio alla religiosità post-tridentina, furono allora ricongiunte e ricollocate sopra l'ingresso della cripta le varie lastre dell'ambone e del pontile dei Maestri Campionesi.

Interior. Nave.
The Campionese "pontile" and the presbytery.

The present arrangement of the presbytery area, at the end of the nave, is the result of a complex programme of restoration carried out at the beginning of the 20th century. In place of the iron railings that had been installed in the late 16th century in accordance with the directives of the Council of Trent, the modern restorers reassembled and positioned above the entrance to the crypt the various panels of the "pontile" and the ambo made by the Campionese Masters.

113-119

Interno. Navata centrale.
Capitelli.

Anche all'interno del Duomo, come lungo il perimetro esterno, le colonne che dividono la navata centrale da quelle laterali presentano alla sommità una grande varietà di motivi naturalistici, mitici e fantastici, trattati con inesauribile vena creativa. Mascheroni, mostri, fogliame, figure ispirate ai bestiari medioevali si succedono arcata dopo arcata con effetti di sorprendente espressività e di eccezionale risalto plastico.

Interior. Nave. Capitals.

Inside the Cathedral, as around the external perimeter, the columns that divide the nave from the aisles have capitals carved with a great variety of natural, mythical and fantastical motifs, treated in an inexhaustibly creative fashion. Masks, monsters, foliage, creatures derived from the medieval bestiaries: the effect is astonishingly expressive and of great sculptural impact.

120

Interno. Navata centrale.
L'ambone e il pontile campionese.

La recinzione presbiteriale prospiciente la navata centrale, nota come "pontile", consta di due parti ben distinte: il "pontile" propriamente detto, installato prima della consacrazione del 1184 e composto da cinque riquadri raffiguranti episodi della Passione di Cristo; e l'ambone alla sua sinistra, le cui sei lastre, probabilmente aggiunte intorno al 1208-1225, integrano il messaggio evangelico del pontile.

Interior. Nave.
The ambo and the Campionese "pontile".

The presbytery enclosure overlooking the nave, known as the "pontile", consists of two distinct elements: the "pontile" proper, installed prior to the consecration of 1184 and comprising five panels with scenes of the Passion of Christ; and the ambo to the left, with six panels, probably added in 1208-1225. These latter scenes complete the Gospel message of the "pontile".

121

Interno. Pontile.
Capitello con *Storie di Daniele e di Abacuc*.

Tra le *Storie della Passione di Cristo* svolte nelle lastre del pontile e gli episodi raffigurati nei capitelli del livello inferiore esiste un certo legame iconografico. In questo caso, l'immagine di Abacuc carico di viveri allude probabilmente alla mensa eucaristica.

Interior. "Pontile".
***Capital with* Scenes of Daniel and Habacuc.**

There is a certain iconographical connection between the Scenes from the Passion of Christ *on the "pontile" and the ones represented on the capitals below. In this case, the figure of Habacuc loaded with victuals probably alludes to the eucharistic Supper.*

122

Interno. Pontile.
Capitello con *Storie di san Lorenzo*.

Concisa ed essenziale nella sua elementare impaginazione, la scena del martirio di san Lorenzo ripropone le cifre stilistiche proprie dei Maestri Campionesi, anche se le forme più rozze e pesanti inducono a ipotizzare una mano diversa rispetto a quella del sovrastante Maestro della Passione.

Interior. "Pontile".
***Capital with* Scenes from the life of St Laurence.**

The spare and concise narrative of the martyrdom of St Laurence on his gridiron is characteristic of the Campionese Masters' style, although the somewhat coarser and heavier forms indicate the presence of a different sculptor from the Master of the Passion scenes above.

123

Interno. Fronte dell'accesso alla cripta.
Mensola con *Acrobata* e *Sansone smascella il leone*.

Per vigore esecutivo e scabro risalto plastico, le quattro mensole che sostengono il pontile sono da ascrivere alla stessa mano dei capitelli. Il motivo dell'acrobata ricorda un'analoga figu-

Interior. Entrance wall of the crypt.
***Corbel with* Acrobat *and* Samson breaking the lion's jaw.**

The four corbels that support the "pontile" are, with their vigour of execution and rough sculptural force, to be ascribed to the same master as the capitals. The motif of the acrobat

razione delle metope, mentre il *Sansone*, assimilabile a Cristo, rimanda a una delle lastre murate nel paramento della facciata (n. 36).

recalls similar subjects in the metopes; Samson, *assimilated to Christ, recalls one of the panels set into the upper register of the façade (36).*

124-127

Interno. Ambone.
***San Girolamo e Sant'Ambrogio* (124); *Sant'Agostino e San Gregorio* (125); I simboli di san Marco e di san Matteo (126); *Cristo in maestà* (127).**

Le prime due lastre di sinistra dell'ambone, scolpite in marmo greco, mostrano i quattro Dottori della Chiesa in atto di scrivere su ispirazione di un angelo o di una colomba, simbolo dello Spirito Santo. Seguono due simboli degli Evangelisti dai volumi saldi e imponenti, e la ieratica figura di *Cristo in maestà*. Chiude la sequenza l'episodio della preghiera nel Getsemani, chiaramente in relazione con le preesistenti scene del pontile.

Interior. Ambo.
St Jerome and St Ambrose *(124);* St Augustine and St Gregory *(125); The symbols of St Mark and St Matthew (126);* Christ in Majesty *(127).*

The first two panels to the left of the ambo, sculpted from Greek marble, represent the four Doctors of the Church writing under the influence of an angel or of a dove, symbol of the Holy Spirit. Next come two symbols of Evangelists, firmly and powerfully rendered, and the hieratic figure of Christ in Majesty. *The sequence ends with the episode of the Agony in the Garden, evidently in relation with the pre-existing scenes on the "pontile".*

128, 129

Interno. Ambone.
I simboli di san Luca e di san Giovanni (128); *Gesù desta san Pietro* (129).

Anche le due ultime lastre dell'ambone sono caratterizzate da un robusto risalto plastico. Salde e possenti sono le due raffigurazioni simboliche degli Evangelisti, mentre nel pannello conclusivo, chiaramente in relazione con le adiacenti scene del pontile, spicca l'esuberante ricchezza dei panneggi che avvolgono le figure di Cristo e dell'Apostolo.

Interior. Ambo.
The symbols of St Luke and St John (128);* Jesus rouses St Peter *(129).

The last two panels on the ambo are also characterised by robust sculptural values. Here too the symbols of the Evangelists are rendered firmly and powerfully; in the last panel, evidently in relation to the nearby scenes on the "pontile", the drapery on the figures of Christ and of the Apostle is exuberantly treated.

130-133

Interno. Pontile.
***La lavanda dei piedi* (130); *Simone il Cireneo* (131); *Cristo davanti a Pilato* e *Flagellazione* (132); *Cattura di Cristo, Bacio di Giuda* e *Pietro taglia l'orecchio a Malco* (133).**

I quattro pannelli con scene della Passione di Cristo, posti ai lati della lunga lastra con *L'Ultima cena* (134), attestano le doti di chiusa e severa espressività dell'ignoto autore del pontile modenese. Particolarmente suggestivo l'effetto di concentrazione cronologica con cui tale scultore, noto come Maestro della Passione di Cristo, racchiude in un unico pannello, nella terza e quarta lastra, momenti diversi del racconto evangelico.

Interior. "Pontile".
The washing of the feet *(130);* Simon of Cyrene *(131)*; Christ before Pilate, *and the* Scourging at the Pillar *(132);* The arrest of Christ, The kiss of Judas, *and* Peter cutting off the ear of Malchus *(133).*

The four panels with scenes from the Passion, placed either side of the long Last Supper *(134), reveal the unknown sculptoris gift of austere expressiveness. Note how in the third and fourth panel this "Master of the Passion of Christ" compresses his narrative by representing successive Gospel scenes simultaneously.*

134

Interno. Pontile.
L'Ultima cena.

Nell'ambito del ciclo del pontile, opera di un unico scultore campionese comunemente indica-

Interior. "Pontile".
The Last Supper.

The work of the same Campionese sculptor commonly known as the "Master of the Passion

to come Maestro della Passione di Cristo, questa lastra, più larga delle altre, allinea in modo uniforme e simmetrico i dodici Apostoli ai lati dell'imponente figura di Cristo, il quale offre il boccone di pane a Giuda mentre Giovanni reclina il capo sul suo petto.

of Christ", this panel - wider than any of the others - shows the twelve Apostles lined up symmetrically on either side of the impressive figure of Christ, who is feeding the morsel of bread dipped in wine to Judas, while St John rests his head upon His breast.

135

Interno. Cripta.
L'abside centrale e il sepolcro di san Geminiano visti da sud-ovest.

Rivestite di abiti vescovili, le spoglie di san Geminiano, patrono della città, riposano al centro della cripta in una semplice urna del IV secolo ricoperta da una lastra di pietra e poggiante su colonne di spoglio. Il sarcofago, custodito entro una teca di cristallo, viene aperto ogni anno in occasione della festa patronale (31 gennaio), e le reliquie sono esposte alla devozione dei fedeli.

Interior. Crypt.
The central apse and the tomb of St Geminianus seen from the south-west.

Clothed in episcopal vestments, the mortal remains of St Geminianus, the patron of Modena, lie in the centre of the crypt in a simple 4th-century sarcophagus covered with a stone slab and resting on four re-used columns. The sarcophagus, preserved inside a glass case, is opened every year on the Saint's feast day (31 January) so that the relics can be exposed to the veneration of the faithful.

136, 137

Interno. Cripta.
Guido Mazzoni (1450 ca-1518).
***Madonna col Bambino, san Giuseppe* (?), *sant'Anna* (?) *e una fantesca* (*Madonna della pappa*) (1480-1485 ca), e particolare.**

Eseguito per conto della famiglia Porrini, il celebre gruppo plastico sviluppa con toccante realismo e dimensioni uguali al vero il tema della Sacra Conversazione, radunando attorno al gruppo sacro i santi Giuseppe d'Arimatea e Anna (forse effigi dei donatori), e una goffa servetta in atto di porgere al piccolo Gesù una ciotola di pappa.

Interior. Crypt.
Guido Mazzoni (ca. 1450-1518).
Madonna and Child, St Joseph *(?),* St Anne *(?)* and a handmaid (Madonna della Pappa*)* *(ca. 1480-1485), and detail.*

Commissioned by the Porrini family, this celebrated sculptural group of life-size statues treats with touching realism the theme of the "Sacra Conversazione": around the Virgin and Child are gathered the figures of St Joseph and St Anne (possibly portraits of the donors) and of a rustic-looking serving maid, who is offering a bowl of pottage to Baby Jesus.

Bibliografia essenziale

Essential Bibliography

MARIA GRAZIA ORLANDINI, CARLO CECCARELLI, *La Torre di Modena "La Ghirlandina"*, Modena 1965.

ROBERTO SALVINI, *Il Duomo di Modena e il Romanico nel modenese*, Modena 1966.

AA.VV., *Modena, vicende e protagonisti*, Modena 1973.

GUSMANO SOLI, *Chiese di Modena* (a cura di GIORDANO BERTUZZI), Modena 1974.

AA.VV., *Modena Ducale*, Modena 1978.

AA.VV., *Modena Medievale*, Modena 1978.

GIORGIO BONI, ALBERTO GOVI, *Modena. Itinerari storico-artistici*, Modena 1979.

MAURO ALESSANDRO LAZARELLI, *Pitture delle chiese di 'Modana'*, Modena 1982.

GIORDANA TROVABENE, *Il Museo Lapidario del Duomo*, Modena 1984.

AA.VV., *Lanfranco e Wiligelmo. Il Duomo di Modena*, Modena 1984.

AA.VV., *Il Duomo di Modena. Atlante fotografico*, Modena 1985.

CRISTINA ACIDINI LUCHINAT, LUCIANO SERCHIA, SERGIO PICONI, *I restauri del Duomo di Modena 1875-1984*, Modena 1987.

ORIANNA BARACCHI, CARLO GIOVANNINI, *Il Duomo e la Torre di Modena. Nuovi documenti e ricerche,* Modena 1988.

PATRIZIA BELLOI, ELIS COLOMBINI, *Guida di Modena*, Modena 1989.

AA.VV., *Wiligelmo e Lanfranco nell'Europa romanica*, Atti del Convegno (Modena, 24-27 settembre 1985), Modena 1993.

LIDIA RIGHI GUERZONI, *Modena. Guida storico-artistica*, Modena 1999.

CHIARA FRUGONI (a cura di), *Il Duomo di Modena* ("Mirabilia Italiæ" 9), 3 voll., Modena 1999.

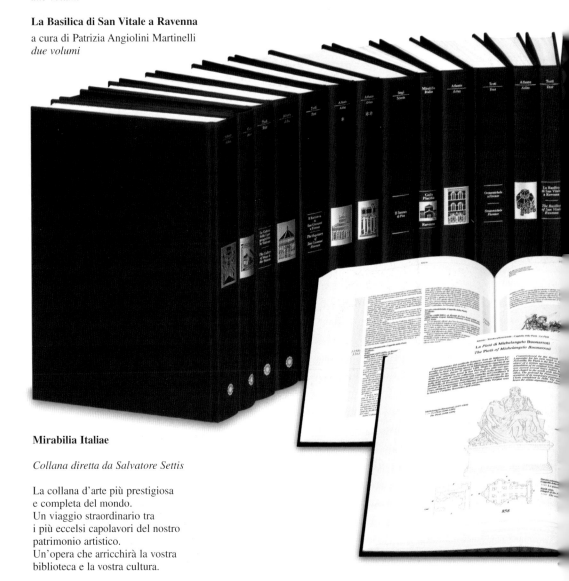

a Italiæ

il mondo ammira
l mondo ha mai fatto

IO PANINI

1100 Modena
il: info@fcp.it – www.francopanini.it

La Libreria Piccolomini nel Duomo di Siena
a cura di Salvatore Settis e Donatella Toracca
volume unico

Palazzo Te a Mantova
di Amedeo Belluzzi
due volumi

Il Duomo di Modena
a cura di Chiara Frugoni
tre volumi

La Basilica di San Pietro in Vaticano
a cura di Antonio Pinelli
quattro volumi

La Basilica di San Francesco ad Assisi
a cura di Giorgio Bonsanti
quattro volumi

La Villa della Farnesina a Roma
a cura di Luitpold Frommel
due volumi

Mirabilia Italiae

La collana comprende 12 titoli in 29 volumi stampati su carta patinata opaca nel formato di cm 24 x 31.
La legatura è in raso di seta nero con impressioni in oro su plancia e dorso.
Ogni volume è custodito in un cofanetto rigido rivestito in raso di seta con impressioni in oro e icone applicate a mano.

Stampa
Industria Grafica FG
Savignano sul Panaro (Modena)

Finito di stampare
nel mese di Marzo 2003